KB036181

武林五賊
무림오적

무림오적 31

초판 1쇄 발행 2021년 6월 29일

지은이 | 백야
발행인 | 신현호
편집장 | 이호준
편집부 | 송영규 최종건 정재웅 양동훈 곽원호 조정범 강준석 최성화
편집디자인 | 한방울
영업 · 관리 | 김민원 조인희

펴낸곳 | ㈜디앤씨미디어
등록 | 2002년 4월 25일 제20-260호
주소 | 서울시 구로구 디지털로 26길 111 JnK디지털타워 503호
전화 | 02-333-2513(대표)
팩시밀리 | 02-333-2514
E-mail | papy_dnc@dncmedia.co.kr
홈페이지 | www.ipapyrus.co.kr

값 8,000원

ISBN 978-89-267-1487-4 04810
ISBN 978-89-267-3458-2 (SET)

백야 신무협 장편소설

PAPYRUS ORIENTAL FANTASY

31

무림오적

武林五賊

PAPYRUS
파피루스

1장.

남아당자강(男兒當自强)

화군악의 뇌리에 당대(當代) 최강이자, 세상 모든 사람이 인정하는
천하제일인들의 이름이 하나씩 떠올랐다가 사라졌다.
물론 그중에는 뭇 사람들의 존경과 추앙을 받은 이도 있고,
더 없는 공포와 두렴의 대상이 된 자도 있었다.

1. 천하제일인(天下第一人)

허신방

붉은 배첩에 적혀 있는 이름이었다. 그 이름은 별호는 귀마주유(鬼魔侏儒), 직책은 전 유령교 호법공인 자의 이름이기도 했다. 그리고 위천옥의 후견인이기도 한 이름이었다.

이 이름을 보자마자 강만리는 길게 한숨을 내쉬었다. 올 게 왔구나, 라는 생각이 퍼뜩 그의 뇌리를 스치고 지났다.

"뭐라고 적혀 있어요?"

화군악이 궁금하다는 듯이 물었다. 강만리는 다시 한번 한숨을 쉬며 배첩을 열고 내용을 읽어 내려갔다.

—명일(明日) 오찬(午餐)에 초대하네.

때에 맞춰 사람을 보내겠네.

두 줄의 짧은 문장이 눈에 확 들어왔다.

강만리는 인상을 찡그렸다.

정중함이나 상대방에 대한 예의나 배려라고는 눈곱만치도 찾아볼 수 없는, 상대를 아랫것으로 여기는 자들 특유의 오만과 무례함이 가득 담긴 글귀였다.

"아니, 뭐라고 쓰여 있냐니까요?"

화군악이 답답하다는 듯이 물었다. 강만리는 아무 대꾸 없이 배첩을 그에게 툭 던졌다. 화군악은 배첩을 받아들고 빠르게 읽었다.

"이런 개자식을 봤나!"

그게 배첩을 읽고 난 그의 반응이었다.

담우천과 장예추도 배첩을 돌려 읽고는 각각 짧은 한숨을 내쉬었다. 강만리와 비슷한 생각이 그들 머릿속에 떠오른 모양이었다. 떨떠름한 기색이 그들의 얼굴에 떠올랐다.

"가기 싫은걸."

강만리가 투덜거리듯 말하자 장예추가 동의한다는 듯 말을 받았다.

"이런 초대라면 누구라도 가기 싫어할 겁니다."

"그러니까. 도대체 이 무례한 글귀는 뭐야? 우리가 오라고 하면 오고 가라고 하면 가는, 그런 존재라고 생각하는 거야, 뭐야? 아주 허 영감, 오만방자하기가 하늘을 찌르고 있네."

화군악이 씩씩거리며 말했다.

"가지 맙시다. 우리가 시장터의 똥개도 아니고 오라 하면 오고 가라 하면 가야 하는 처지입니까?"

화군악의 거친 언사에 강만리는 살짝 눈살을 찌푸리며 대꾸했다.

"똥개는 아니더라도 오라 하면 오고 가라 하면 가야 하는 처지인 게지, 아직까지는."

"정말 그리 생각하세요?"

"그게 우리의 실정이니까."

강만리는 차분하게 말했다.

"그건 유령교나 허 봉공이 무서워서가 아니야. 그렇다고 내가 아직 한 번도 마주친 적이 없는 위천옥이라는 소년에 대해서 지레 겁을 먹은 것도 아니고."

"그런데 왜요?"

"그들이 우리의 후견인 격이니까."

"네에?"

"앞으로 우리는 계속해서 오대가문과 싸워야 해. 마음 먹고 전쟁을 시작했으니 지금보다 더 힘들고 괴로운 시간이 계속되겠지. 그런데 거기에다가 더해서 유령교나 허 봉공까지 적으로 돌려 봐. 그때는 그야말로 앞뒤로 협공을 당하게 될 거야."

"으음. 마음에 안 들어요."

"마음에 안 들어도 할 수 없는 거야. 상황이 그러니까."

강만리는 식은 찻물을 마시며 갈증을 달랜 다음 계속해서 말을 이어 나갔다.

"그들이나 황계는 자신들이 우리 무림오적을 키웠다고 생각하지. 그래서 우리를 충견(忠犬)처럼 생각하고 부려 먹으려 하는 거야. 그건 어쩔 수 없어. 그들에게 진 빚이니까. 하지만 마냥 부려 먹히거나 이용당하기만 하고 있지는 않을 생각이다. 그건 너도 마찬가지잖아?"

"물론이죠, 형님. 생각 같아서는 지금 당장이라도 달려가서 본때를 보여 줄……."

"그렇게 고깽스러운 말은 하지 말고."

"아, 그런가요? 죄송합니다."

"이용당하는 척하면서 이용하는 거야. 부려 먹히는 척하면서 많은 걸 뜯어내는 거고. 예를 들자면 자금도 그렇고 사람도 그렇고 심지어 무공도 그렇겠지."

무공이라는 단어가 강만리의 입에서 흘러나오자 화군악은 물론 장예추, 심지어 담우천의 눈빛까지 살짝 흔들렸다. 강만리가 계속해서 말을 이어 나갔다.

"하여튼 뽑아 먹을 게 없을 때까지 뽑아 먹다가 버리면 되는 게야. 그들이 우리의 이용 가치가 없다고 생각해서 버리기 전에, 우리가 먼저 그들의 뒤통수를 치면 돼. 그 때까지는 오라면 오고 가라면 가야 하는 거야."

강만리의 말은 잔인하고 비열하고 악랄하며 절절했다. 그래서 화군악은 아무 대꾸도 할 수 없었다. 너무나도 절절해서, 너무나도 현실적이어서 화군악이 잘하는 농담 한마디가 입 밖으로 흘러나오지 않았다.

장예추도 아무 말을 하지 않았다. 그는 이마에 손은 얹은 채 뭔가를 곰곰이 생각했다. 물론 담우천도 묵묵히 앉아서 차를 마실 따름이었다. 담우천은 그런 세 형제를 돌아보면서 천천히 차를 따랐다.

한편 양위는 머쓱하고 난감한 표정을 지은 채 어찌할 바를 몰라 했다. 배첩을 전해 주고 빠져나갈 때를 찾지 못한 바람에 이렇게 곤혹스러운 얼굴을 감추지 못한 채 엉거주춤 서 있어야 했다.

분위기가 심각할 정도로 가라앉았다. 바위보다 무거운 침묵이 대청의 분위기를 짓누르고 있었다.

그때였다. 대청에 상주하는 늙은 하인이 눈치를 보다가

조심스레 다가와 말을 건넸다.

"점심때가 되었습니다만…… 식사를 올릴까요?"

강만리와 예예가 혼인했을 때부터 시중을 들던 하인이었다. 무공은 전혀 모르지만, 눈썰미가 좋고 분위기를 살필 줄 알아서 위정전의 실무를 도맡아 처리하는, 어찌 보면 총관(總管)이라고도 할 수 있는 노인이었다.

"우육탕과 만두, 매운 돼지고기볶음, 그리고 몇 가지 채소볶음이 준비되어 있습니다만."

노인의 말에 강만리는 퍼뜩 정신을 차린 듯 입을 열었다.

"아, 아직 아침도 먹지 않아서 확실히 배가 고프기는 한데…… 다른 사람들은 어떤지 모르겠네."

강만리의 말에 담우천을 비롯한 형제들은 일제히 고개를 끄덕이며 동의했다.

"그럼 재빨리 준비하겠습니다."

노인은 재빨리 주방으로 사라졌다.

"그럼 저도 수하들과 함께 식사를 해야겠습니다. 맛있게들 드십시오."

양위도 눈치를 살피며 말했다. 강만리가 고개를 끄덕이며 말했다.

"아, 양 당주도 맛있게 식사하시오."

양위는 허둥지둥 대청을 빠져나갔다. 이제 오롯하게 네 명의 의형제들만이 대청에 남게 되었다.

하지만 조금 전과는 분위기가 사뭇 달라져 있었다. 아무래도 노인의 한마디가 분위기를 살짝 누그러뜨린 모양이었다.

강만리가 문득 화제를 돌렸다.

"벽린에게는 연락하지 않은 거야? 왜 함께 안 왔어?"

그의 질문에 화군악이 눈을 크게 뜨며 말했다.

"연락이라니요? 아무도 연락하지 않았어요. 그냥 다들 각자 형님과 이야기를 나누고 싶어서 따로 오다가 우연히 만나게 되었을 뿐이에요."

강만리가 호기심을 보였다.

"호오, 그래? 그런데 나와 무슨 이야기를?"

"아, 형님 피 좀 빨아 먹어도 되는지 묻고 싶어서요."

"응? 그건 또 무슨 헛소리야? 내 피를 왜 빨아 먹어? 모기도 아닌 것이."

"모기만 피를 빨아 먹나요? 세상에 흡혈(吸血)하는 동물이나 벌레들이 얼마나 많은데……."

"자, 농담은 그만하자."

담우천이 차분하게 말하자 화군악은 얼른 입을 다물었다. 담우천은 강만리를 바라보며 말을 이어 나갔다.

"서로 상의한 건 아니지만 기묘하게도 다들 비슷한 생각을 한 모양이더라. 어떻게 하면 지금보다 훨씬 더 강해질지를 논의하고 싶어 찾아온 게다, 우리 모두가."

일순 강만리의 눈이 휘둥그레졌다.

강만리 자신도 분명 그런 생각을 하지 않았던가. 지금보다 훨씬 강해져야 한다. 주체할 수 없는 내공을 보다 효율적으로 사용할 수 있는 무공을 배워야 한다. 그게 강만리가 아침 내내 생각했던 것 중의 하나가 아니었던가.

"어라? 저도 마침 그런 생각을 하던 참이었습니다. 좀 더 효율적이고 강한 무공을 익히고 싶다고요."

강만리가 눈을 휘둥그레 뜨며 말하자 담우천이나 장예추가 살짝 놀란 표정을 지었다. 화군악이 킥, 하고 웃음을 터뜨리며 말했다.

"누가 형제들 아니랄까 봐 다들 비슷한 생각을 했네요. 이럴 때는 진짜 형제들 같다니까."

"어젯밤의 일 때문인 거야."

장예추가 말했다.

"정극신과의 싸움을 통해서 다들 깨우친 거지. 이대로는 저 오대가문을 상대로 싸워 이길 수 없다고 말이지."

"그래. 나도 확실히 깨달았네."

담우천이 고개를 끄덕이며 말을 받았다.

"사실 그동안 상당히 오만하고 자만하고 있었던 모양이네. 지금의 무위라면 세상 그 누가 오더라도 단 일초로 승부를 가를 수 있다는 자만 말이네."

"헤에. 단 일초라고요?"

"그렇지. 정말 오만했던 게야. 하지만 정극신과 대결하고 나서 알게 되었다. 그 정도 실력이 되려면 지금보다 두 배는 더 강해져야 한다는 사실을 말일세."

"으음. 진짜로 지금보다 두 배만 더 강해지면 세상 그 어떤 자도 단 일초 만에 이길 수 있다는 겁니까? 혹시 그것도 자만이나 오만 아닌가요?"

"글쎄. 그건 모르지. 그때 가서 군악 자네 말대로 오만이나 자만이라고 느낄 수도 있겠지. 하지만 그래도 지금 현 상황에서 최대한 냉정하고 객관적으로 생각해서 하는 말이니까. 그러니까 오성(五成) 정도의 일원검을 십성까지 성취한다면, 당당하게 천하제일인이라고 자부해도 될 거라고 생각하는 중이네."

"으음."

화군악은 입을 다물었다.

천하제일인(天下第一人).

무림인들에게 있어서 그렇게 뜨겁게 울리는 단어가 또 어디 있을까.

2. 기연(奇緣)

달마조사(達磨祖師).

장삼봉(張三峰) 진인(眞人).

혜우(慧牛) 성승(聖僧).

마야(魔爺) 백마린(白磨麟).

…….

화군악의 뇌리에 당대(當代) 최강이자, 세상 모든 사람이 인정하는 천하제일인들의 이름이 하나씩 떠올랐다가 사라졌다. 물론 그중에는 뭇 사람들의 존경과 추앙을 받은 이도 있고, 더 없는 공포와 두렴의 대상이 된 자도 있었다.

"천하제일인이라……."

문득 화군악은 호기(豪氣)를 느꼈다.

부모도 모른 채 시골 장터에서 소매치기로 살다가 이제 어느덧 일가(一家)를 이루게 되면서 잃어버렸던 욕망과 야심이 덩달아 스멀스멀 기어 올라왔다.

물론 그때도 천하제일인이 될 생각은 전혀 하지 않았다. 소독아라는 별명으로 이름을 대신한 채, 어떻게든 하루하루 버티며 끈질기게 살아남으려고 발버둥을 치던 나날들이었다.

그런 소독아가 화군악이라는 제대로 된 이름을 갖게 되고 무공을 배우게 되고 뒷골목 불량배가 아닌, 제대로 된 사람이 될 수 있었던 건 오로지 그의 스승 야래향 덕분이었다.

화군악은 그녀에게 처음 무공을 배울 때를 떠올렸다. 문득 그의 얼굴이 붉게 달아올랐다.

'지금 생각하니까 정말 어처구니가 없는 일이야. 천하의 마녀 야래향을 마누라로 삼으려 했으니 말이지.'

하지만 그는 곧 야래향을 사부로 모셨고, 첫 번째 목표로 이렇게 말했다.

-사부가 죽었을 때 복수해 줄게. 사부의 무공으로, 놈을 세상에서 가장 잔인하고 악랄한 방법으로 죽여 줄게.

그때만 하더라도 그게 전부였다. 화군악 본인과 사부 야래향. 당시 화군악의 세상은 겨우 그 정도에 불과했다.

하지만 세월이 흐르면서 그의 세상은 점점 넓어졌다. 무당산에서 태극혜검이라는 기연을 얻게 되었고 북해빙궁에서 새로운 심공을 터득하기도 했다.

그리고 강만리를 비롯한 형제들을 만났으며, 무당파의 영애인 정소흔과 혼인을 하고 눈에 넣어도 아프지 않을 딸, 소군도 생겼다.

그의 세상은 한없이 넓어졌다. 그와 인연을 맺거나 악연을 맺은 자들의 수도 밤하늘의 별만큼이나 되었다.

그런데…….

'언제, 어디에서부터 야망이라는 게 사라졌을까.'

화군악은 곰곰이 생각했다.

'아니, 애당초 야망이라는 걸 가져 본 적이 없을지도 몰라. 내 삶이라는 게 오로지 살아남기 위한 날들이었으니까.'

하루하루 연명하는 게 그날의 목표였던 어린 시절, 야래향을 사부로 모신 이후에도 그 생활은 마찬가지였다. 적에게 쫓기고 복수하고, 친구에게 배신을 당하고 복수를 하고, 또 복수하고…….

'복수로 점철된 삶이었네.'

피식, 자조의 웃음이 새어 나왔다.

'그렇게 지금껏 야망도 한 번 제대로 가져 본 적 없이 살아왔으니까 나도 야망 하나 정도는 가져도 되지 않을까?'

그런 생각이 들었다.

거창하게 천하제일인이나 군림천하(君臨天下)나 천하의 패주(覇主) 같은 게 아니라도 괜찮지 않을까 싶었다. 오대가문을 몰살시킨 자도 좋았고, 태극천맹을 무너뜨린 자가 되는 것도 나쁘지 않을 터였다.

"뭘 그리 혼자서 웃고 있어?"

옆자리의 장예추가 그를 툭 치며 말했다.

"밥 먹으라고 몇 번이나 말했잖아."

화군악은 퍼뜩 정신을 차렸다. 탁자 위에는 김이 모락모락 피어오르는 우육탕과 만두, 돼지고기볶음, 채소볶음들이 푸짐하게 차려져 있었다.

"도대체 무슨 생각을 그리 깊게 하는 거야?"

장예추의 물음에 화군악은 머쓱한 표정을 지으며 젓가락을 집었다.

"아, 아냐. 아무것도. 오오, 이 돼지고기 볶은 거 정말 맛있네."

그는 허겁지겁 음식을 먹기 시작했다.

아닌 게 아니라 음식들은 하나같이 맛있었다. 국물은 진하고 얼큰했으며, 짜릿할 정도로 매웠다. 방금 찐 만두는 말랑하면서도 촉촉하고 찐득거리는 식감이 일품이었고, 만두를 쪼개서 거기에다가 매운 돼지고기볶음을 얹어 먹는 맛은 그야말로 꿀맛이었다.

"하기야 어제 저녁부터 지금까지 다들 제대로 먹지 못했을 테니까 맛이 없으려야 없을 수가 없겠지."

강만리가 고개를 끄덕이며 우육탕을 흡입했다.

그때였다.

"아니, 나만 쏙 빼놓고 자기네들끼리 식사하다니, 이렇게 따돌려도 되는 겁니까?"

대청 문이 열리고 설벽린이 들어서자마자 침을 튀겨 가며 타박을 놓았다.

"올 때까지 기다리든가 아니면 사람을 보내 부르든가 하시지, 이렇게 꼭 티를 내며 날 따돌려야 하는 겁니까?"

"누가 따돌렸다고 그래요? 자자, 얼른 앉으세요. 여기 설 형님 것도 가져다주세요. 다 준비해 놓고 있었다니까요. 식을까 봐 차려 놓지 않았을 뿐이에요."

화군악이 웃으며 그렇게 말하자 설벽린은 살짝 화가 누그러진 듯한 얼굴로 자리에 앉았다.

"뭐하다가 이제 왔어?"

강만리가 묻자 설벽린은 기다렸다는 듯이 한숨을 내쉬고는 주저리주저리 이야기를 늘어놓았다.

"아니, 누가 이제 오고 싶어서 이제 왔습니까? 어제 사용했던 천마화폭의 재고도 확인해야죠. 보충하기 위한 물품도 구매해야죠. 부상자들의 치료와 사망자 수습은 물론 보상비까지 처리해야죠. 새벽같이 일어나서 지금껏 한 번도 자리에 앉지 못한 채 이리 뛰고 저리 뛰어다녔다니까요."

강만리는 그의 투덜거림을 가만히 듣고 있었다.

확실히 사람은 저마다의 서로 다른 재능을 가지고 태어나는 것 같았다.

설벽린은 남들보다 셈이 빠르고 머리가 잘 돌아갔으며, 사람과 돈을 적재적소에 사용할 줄 알았다. 높게 치자면 한 조직의 우두머리가 될 수도 있고, 낮게 치자면 자금을 운용하는 책임자의 자질이 충분했다.

만약 화평장에 진정한 의미의 총관이 필요하다면 설벽린이 그 자리에 딱 어울리는 인물이었다.

"고생했다."

강만리가 입을 열었다.

"그래, 유족들에게는 충분한 보상금을 지급해야지. 목숨보다 돈이 더 중요할 리는 없겠지만, 그러니까 더 넉넉하고 확실하게 보상금을 줘야 하는 거야."

"그리하고 있습니다. 일반 무사들의 경우에는 은자 오백 냥, 상급 무사의 경우에는 이천 냥을 책정해 둔 상태입니다."

"그렇게나 많이?"

설벽린의 말에 이번에는 화군악의 눈이 커졌다.

은자 한 냥이면 다섯 식구가 한 달은 족히 먹고살 수 있는 금액이었다. 열 냥이면 나름대로 일 년을 버틸 수가 있고, 백 냥이면 아끼고 아껴서 십 년은 살아갈 수 있는 금액이었다.

그리고 은자 오백 냥이라면 비옥한 밭 몇 십에서 몇 백 묘(畝:약 30평)까지 살 수 있는 거액이었다. 제대로 좋은 밭을 사서 일구면 자자손손(子子孫孫) 먹고사는 데 지장이 없었다.

"그 정도는 해 줘야지. 우리 때문에 가장(家長)을 잃은 건데, 적어도 이삼십 년 이상은 먹고살 걱정은 하지 않게 해 줘야지.”

장예추의 말을 받아 설벽린이 계속해서 말을 이어 나갔다.

“또 그렇게 해야 고용된 무사들도 안심하고 우리에게 목숨을 맡길 수가 있는 거지. 자신들이 죽어도 우리가 그들의 가족을 책임진다는 보장이 있는 것과 그렇지 않은 것과는 천양지차이니까.”

화군악이 고개를 끄덕이며 말했다.

“흠, 그렇기는 하네. 내가 죽어도 내 가족들은 평생 먹고살 수 있다는 확실한 보장이 있다면 죽는 게 그나마 덜 두려워질 테니까.”

“자금은 부족하지 않고?”

강만리가 물었다. 설벽린은 어깨를 으쓱거리며 대답했다.

“일전에 예추와 군악이 십만대산에서 가져온 보물들이 상당하거든요. 적어도 돈 걱정은 하지 않아도 될 것 같습니다.”

화군악이 턱을 내밀며 거드름을 피웠다.

“다시 한번 말해 주세요. 누가 가지고 온 보물이라고요?”

강만리가 쓰게 웃으며 말했다.

“그래, 고맙다. 너희들이 아니었으면 알거지가 될 뻔했다.”

“감사하게 생각하시라고요.”

“그래, 그래. 모두 네 덕분이다.”

강만리가 웃었다. 때마침 설벽린의 식사가 나왔다. 사람들은 화기애애하게 웃으며 식사를 시작했다. 조금 전 한껏 우울하게 가라앉았던 분위기는 어디에서고 찾을 수가 없었다.

이윽고 식사가 끝났다. 하인과 시녀들이 상을 물리고 다과(茶菓)를 내왔다. 향긋한 차를 마시며 잠시 사람들은 느긋한 시간을 보냈다.

“그럼 이제 어떻게 할까요?”

불쑥 장예추가 누구에게라고 할 것 없이 질문을 던졌다. 다들 표정이 진중해진 가운데 설벽린 홀로 의아한 얼굴이 되어 되물었다.

“뭘 어떻게 하는 건데?”

화군악이 가볍게 한숨을 쉬고는 조금 전 나눴던 대화에 관해서 이야기했다. 어제 정극신과의 대결을 통해서 다들 실력 향상의 필요성을 느꼈고, 그래서 그 방법을 논의하고자 모였다고 말했다.

이야기가 진행되는 동안 설벽린의 얼굴이 점점 딱딱하게 굳어졌다. 이윽고 화군악의 이야기가 끝나자 그는 한숨을 내쉬며 도리질을 했다.

"정말이지, 다들 도둑놈들이라니까."

그는 어쩔 도리가 없다는 듯, 두 손을 들며 투덜거렸다.

"지금도 그렇게 강하면서 그것보다도 더 강해지려고 하다니, 그건 반칙이라니까. 도대체 나 같은 사람은 어떻게 해야 하는 거야?"

"강해지면 된다."

강만리가 무뚝뚝하게 말하자 설벽린이 피식 웃으며 대들 듯 말했다.

"말이야 쉽죠. 하지만 이 나이에, 뼈도 굳고 머리도 굳어진 상태에서 처음부터 다시 시작해야 하는 게 그렇게 쉬운 일이 아니라고요."

"나는 네 나이 때 무공이라고는 아문육기(衙門六技)밖에 펼칠 줄 몰랐다. 내공이라는 게 뭔지도 몰랐고."

"하지만 형님. 형님은 그래도 태양빙옥수나 공청석유 같은 희대의 영약을 자시지 않으셨습니까?"

"너에게는 그런 기연이 오지 않을 거라고 생각하느냐?"

"물론이죠, 형님."

기세등등하게 대들던 설벽린이 갑자기 풀 죽은 얼굴이 되어 어깨를 축 늘어뜨리며 말했다.

"기연이라는 게 아무에게나 찾아오면 그게 어디 기연이겠습니까? 평범한 인연에 불과하겠죠."

3. 일대종사(一大宗師)

"이상하네."

강만리는 고개를 갸웃거렸다.

"그럼 너는 네가 만해 사부를 모신 것도 평범한 인연이라고 생각하는 거야? 유 사부를 모신 것도? 우리와 만나게 된 것도? 그 모든 것들이 누구에게나 일어날 수 있는 평범한 인연이라고 생각하는 거야, 진짜로?"

그가 정색을 하고 묻자 설벽린은 일시 꿀 먹은 벙어리가 되어 아무런 말도 할 수가 없었다.

돌이켜 생각해 보니 확실히 유 노대와 만해거사를 스승으로 모신 건 기연이라 할 수 있었다. 그리고 이렇게 무림오적의 네 의형제와 만나서 알게 되고 사귀게 된 것 또한 결코 평범한 인연은 아니었다.

"남의 기연을 부러워할 시간에 네 기연부터 잘 챙기는 게 낫지 않을까 싶다. 태양빙옥수나 공청석유가 대단하다고는 하지만, 네 사부들의 심공과 경공술 또한 천하일절이라 불릴 만한 것들이잖아?"

"그야 그렇죠."

설벽린은 차마 강만리와 시선을 마주치지 못하고 고개를 숙이며 중얼거리듯 말했다. 강만리는 가만히 그를 바라보다가 차분하게 말했다.

"나무라는 거 아니니까 잘 새겨들어. 모르기는 몰라도 네가 만해 사부와 유 사부의 진전을 모두 이어받으면 그때는 너도 천하제일 운운할 자격이 생길 테니까. 음, 아무리 그래도 천하제일 운운하는 건 너무 심했으려나요?"

강만리가 고개를 갸웃거리며 담우천에게 묻자 담우천은 진중한 얼굴로 대답했다.

"아니, 충분히 그럴 자격이 있지. 저 서장의 기묘한 유가밀공과 만해거사의 의술, 거기에다가 곤륜파의 무공까지 합쳐진다면…… 그래서 만약 설 아우가 그것들을 하나로 묶어 새로운 무공을 창안한다면, 그때는 천하제일인 정도가 아닌 일대종사(一大宗師)가 되는 거지."

그의 말을 듣는 순간 설벽린의 가슴이 심하게 쿵쾅거렸다.

'일대종사라니!'

한 시대의 천하제일인은 셀 수 없을 정도로 많았다. 한 시대를 이십 년으로 잡는다면 백 년 역사에 다섯 명, 천 년 역사에 오십 명이나 되는 천하제일인이 있었다.

하지만 일대종사라 불릴 만한 이들은 손꼽을 정도에 불

과했다. 심지어 저 천하제일인의 대명사라 할 수 있는 마야 백마린이나 혜우 성승도 일대종사는 아니었다. 그렇다고 각 문파의 창시자를 모두 일대종사라고 칭하지도 않았다.

그야말로 태산북두에 버금가는 문파를 세우고 절기를 창안했으며, 후세까지 그 영향을 미친 자들을 가리켜 사람들을 일대종사라 불렀다.

"그러니 최선을 다해서 두 사부의 진전을 익히라고. 초조해하고 불안해하지 마. 나이가 많다고 해서 무공이 늘지 않는 건 아니니까. 마흔 살이 넘고 쉰 살이 넘은 후에야 비로소 천하에 이름을 떨치고 훗날 대종사(大宗師) 소리를 듣게 된 사람도 있었으니까."

강만리가 다독거리듯 말했다. 설벽린은 그 말에 감동했다는 듯한 표정을 지으며 힘차게 대답했다.

"최선을 다하겠습니다."

"그래야지."

강만리는 고개를 끄덕이며 중얼거렸다.

사실 지금 그가 한 말은 설벽린에게만 해당하는 이야기가 아니었다. 외려 강만리 자신에게 들려주는 이야기라고 해도 과언이 아니었다.

이제 마흔 살이 몇 년 남지 않았다. 삼사십대가 무림인의 정점이라 한다면 이제 그 시간도 불과 몇 년 남지 않은 것이다. 초조하고 불안할 수밖에 없었다. 그런 속내를 감추고, 또 자신을 응원하고 기운을 북돋아 주기 위한 이야기였다.

사실 어릴수록 수련의 성취도는 높을 수밖에 없다. 십대 전후의 나이 때는 사부의 가르침을 전혀 의심하지 않고 모든 걸 순순히 받아들이며, 해면(海綿)이 물을 빨아들이듯 사부의 가르침은 자신의 것으로 완벽하게 소화해 낸다.

굳이 멀리서 예를 찾을 필요가 없었다. 담우천의 아들 담호만 보더라도 충분히 알 수 있었다.

담호는 어른들이 지나가면서 던진 말 한마디 한마디를 전혀 의심하지 않고 수용했다. 의심하지 않으니 갈팡질팡할 이유가 없었다.

괜한 고집을 부려 먼 길을 돌아가며 해답을 찾으려 하지도 않았다. 그러니 성취가 빠른 게 당연했다.

하나를 가르치면 열을 깨우치는 천재의 자질이 없어도, 일반 어른들이 습득하는 시간보다 몇 배는 빠르게 배우고 익혔다. 그게 어린아이들의 특징이자 장점이었다.

나이 든 자들은 그렇게 하지 못했다.

그동안 살아오면서 몸에 밴 습관이나 성격으로 인해 사람들의 말을 곧이곧대로 믿지 못했다.

아무리 바로 앞의 다리가 돌다리라도 가르쳐 주어도,

자신이 직접 한 걸음 걸어가서 확인한 후에야 비로소 돌다리라고 생각하는 게 그들이었다.

그건 어쩔 수 없는 일이었다. 그 나이 먹도록 살아오면서 깨우치고 느꼈던 것들이니까. 그렇게 해야 오래 살아남을 수 있고, 남들에게 속지 않으며 스스로를 보호할 수 있었으니까. 그걸 탓할 수는 없는 일이다.

하지만 그 차이가 곧 수련의 성취도의 차이로 이어졌고 그렇게 십 년이 지나면 어린아이와 나이 든 자의 차이는 두 배, 세 배로 벌어질 수밖에 없었다.

또 그게 무림 문파, 세가의 사람들이 일반 낭인이나 길거리 무사들보다 훨씬 강해지는 근원적인 이유이기도 했다.

물론 예외는 있었다. 무림 세가의 자제가 아니더라도, 명문 거파의 제자가 아니더라도 얼마든지 성장할 수 있고 강해질 수가 있었다.

장예추는 사냥꾼의 자식이었다. 화군악은 제 부모도 모른 채 시장 바닥에서 자랐다. 설벽린은 서자(庶子)였으며 갓난아기 때부터 버려진 채 살아왔다.

그들에 비하면 행복하게 자랐다고 말할 수 있는 강만리조차 평범한 부모의 자식이었으나, 어린 시절 부모를 잃고 병든 누이를 돌보며 성장했다.

그렇게 자란 이들이 지금은 그 어떤 무림 세가의 자제

들이나 명문 거파의 제자들이라 할지라도 절대 쉽게 상대할 수 없는 경지의 무인이 되었으니, 그야말로 예외 중의 예외라 할 수 있을 것이다.

어쨌든 강만리는 그렇게 자신과 설벽린을 향해 충고와 위로의 이야기를 한 다음, 다시 화제를 돌려 말을 이어 나갔다.

"어쨌든 다들 지금의 수준으로는 오대가문을 상대로 싸우기 벅차다는 현실을 깨달았으니, 조금 더 성장할 수 있는 무언가가 필요하기는 필요한 것 같아."

장예추가 살짝 심각한 표정을 지으며 말을 받았다.

"문제는 사실 지금 우리가 익힌 무공이라는 게 가히 무림십대무공(武林十大武功)에 충분히 들어갈 만한 것들이라는 겁니다. 그보다 강한 무공이 또 어디 있을까요?"

설벽린은 제외한 이들은 굳은 얼굴로 고개를 끄덕였다. 다들 장예추와 비슷한 생각을 하고 있던 참이었다.

장예추가 그간 익힌 무공은 취몽월영의 비기와 태을마군의 심공을 제외하더라도 공적십이마 중의 한 명인 패왕신마의 무공과 남궁세가의 제왕검해가 있었다.

패왕신마의 도법은 세상에서 가장 패도적인 도법으로 알려져 있고, 제왕검해는 무림삼대절기 중 하나로 꼽힐 정도의 최상승 절기였다.

어디 장예추뿐인가. 화군악 역시 공적십이마 중의 한

명인 야래향의 모든 절기를 배웠으며, 거기에다가 무당파 최고의 비전이라 할 수 있는 태극검혜까지 우연찮게 습득했다.

강만리 역시 십삼매로부터 경천십삼무결록(驚天十參武訣錄)이라는 책자를 얻어 그 안의 열세 가지 무공을 익혔다. 비록 확실한 사실은 아니지만, 그 열세 가지 무공은 공적십이마 등 사마외도 최고의 고수들이 자신들의 절기를 나름대로 익히기 쉽고 간단하게 만든 것이라고 여겨졌다.

하지만 정작 태양빙옥수와 공청석유를 통해 쌓이게 된 가공할 만한 내공이야말로 그 어떤 무공보다도 강렬하고 뛰어나다 할 수 있었다.

담우천은 따로 말할 필요도 없었지만, 그의 일원검은 당대 최고의 검공이라 자부할 만했다.

설벽린이 입을 삐죽이며 한마디 하려고 했다. 그는 문득 강만리의 눈치를 살피고는 이내 표정을 바꿔 어깨를 으쓱거리며 말했다.

"그러면 앞으로 더 강해질 가능성이 큰 건 결국 나뿐이네. 내게는 아직 유 사부와 만해 사부의 절기들이 있으니까 말이야."

"그래. 그래야지."

강만리가 고개를 끄덕일 때였다. 그때까지 곰곰이 무언

가를 계속 생각하던 담우천이 강만리를 불렀다.

"강 아우."

"네, 담 형님."

"황궁무고에 들어갈 방법이 없을까, 우리 모두?"

"네?"

갑작스런 이야기에 강만리의 눈이 커졌다. 반면 담우천의 말에 화군악과 장예추, 설벽린은 반색하며 달려들었다.

"아, 왜 그 생각을 하지 못했죠?"

"맞아요. 저도 공청석유를 한 병 마신다면 그 누구도 두렵지 않을 겁니다."

"그곳에는 하나만 얻더라도 무림을 쟁패할 수 있는 온갖 신병이기(神兵利器)와 무공 비급이 있다면서요?"

강만리는 세 형제들이 입에 침을 튀겨 가며 정신없이 떠들자 얼굴을 찌푸리며 손사래를 쳤다.

"다 과장된 표현일 뿐이다."

강만리는 무뚝뚝하게 말했다.

"물론 그중 하나라도 강호에 유출된다면 모든 무림인이 목숨을 걸고 덤벼들겠지. 하지만 하나만 얻더라도 무림을 쟁패한다? 그럴 리가 있겠느냐? 그저 한 지역을 웅패(雄覇)하는 것만으로 감지덕지하겠지."

"그게 어딥니까? 한 지역의 패자만으로도 충분합니다."

"나는 무공 비급보다는 내공을 높이고 싶어요."
"저도요."
그러자 담우천도 한마디 거들고 나섰다.
"나는 손에 맞는 무기 한 자루 얻고 싶군."
강만리는 어이가 없다는 눈빛으로 네 사람을 둘러보았다. 화군악이 웃으며 말했다.
"에이, 그런 얼굴 하실 거 없잖아요? 형님은 대사형(大師兄)이랑 친하시니까 부탁하면 들어줄지도 몰라요."
"대사형? 형님에게 대사형이 있어?"
설벽린이 처음 들어본다는 듯이 물었다. 외려 화군악이 놀라 되물었다.
"어라, 아직 모르고 계셨어요?"
"모르니까 물어보지. 그 대사형이라는 사람이 누군데? 대사형이 부탁을 들어줄지도 모른다면 설마 황족이라도 되는 거야?"
설벽린의 물음에 화군악이 어깨를 으쓱거리며 대답했다.
"왜 아니겠어요? 우리가 대사형으로 모실 만한 사람이 오직 황태자, 주완룡 전하 말고 또 누가 있겠어요?"
"황태자? 진짜야?"
설벽린의 입이 떡 벌어졌다.
"그럼요. 일전에 전하께서 직접 이곳을 방문하셨을 때

당신이 직접 그렇게 불러 달라고 말씀하셨대요. 아, 아깝게도 그때 저는 그 자리에 없어서 황태자 전하에게 대사형이라고 부를 기회를 놓쳤지만 말이에요."

화군악이 진심으로 아쉬워할 때, 설벽린은 입을 크게 벌린 채 아무 말도 하지 못했다.

물론 그도 강만리가 황태자의 은밀한 의뢰를 받고 수행 중이라는 사실은 익히 알고 있었다. 하지만 강만리가 그 황태자를 가리켜 대사형 운운하며 친분을 나누고 있는 줄은 꿈에도 몰랐다.

"일이 참."

강만리가 한숨을 쉬며 중얼거렸다.

"황궁무고라니, 어디로 튈지 모르는 게 세상일이라니까."

2장.

기구한 운명

"형제 좋은 게 뭐냐? 가족 좋은 게 뭐냐?
타인들 앞에서는 벗을 수 없는 자존심이나 체면 따위 다 벗어 버리고
벌거숭이가 될 수 있다는 게 가장 좋은 게 아니더냐?"

1. 황궁무고(皇宮武庫)

강만리는 엉덩이를 긁적이며 생각하다가 문득 머릿속에 떠오르는 것이 있었다.

"아, 그걸 깜빡 잊고 있었네."

사람들이 그를 쳐다보았다. 강만리는 단추 구멍만 한 눈을 반짝이면서 담우천을 향해 입을 열었다.

"일전에 전하께서 수임료라고 주신 것 중에 검 한 자루가 있었습니다."

일순 담우천의 눈빛도 반짝였다.

황태자 주완룡이 준 검이다. 결코 평범한 검일 리가 없다는 생각이 든 것이다.

아니나 다를까.

"거궐(巨闕)이라고, 아시죠?"

강만리가 말하는 순간 대청이 갑자기 시끄러워졌다.

"세상에, 거궐이라니!"

"진짜 그 거궐을 말하는 겁니까?"

"믿을 수 없습니다! 아니, 왜 여태 아무 말도 안 하셨던 겁니까?"

"이런……."

네 사람의 반응은 모두 달랐지만 얼굴에 떠오른 표정은 한결같았다. 놀람과 당황, 당혹, 불신 등등이 한데 뒤섞여서 복잡미묘하기 짝이 없는 표정.

거궐은 검의 이름이었다. 그것도 평범한 검이 아닌, 이미 전설이 되어 버린 검의 명칭이었다. 즉 담로(湛露)와 순구(純鉤), 승사(勝邪)와 간장(干將), 막야(莫耶) 등과 함께 고대로부터 전해 내려오는 최고의 보검 중 하나가 바로 거궐이었던 것이다.

거궐은 저 춘추전국시대 월나라 명장이었던 구야자(歐冶子)가 만든 검으로, 그 단단함과 예리함으로 인해 천하일절(天下一絕)이라 불렸다.

"거궐이 지금까지 세상에 존재한다는 게 믿어지지 않습니다. 진짜 실물을 보고 싶네요."

장예추가 말까지 더듬으며 말했다.

"아, 화평각 구석진 창고 어딘가에 있을 거야. 조금 이따가 가져오지."

강만리가 고개를 끄덕이며 대꾸했다.

"아니, 그런 귀한 보검을 가지고 있으면서 왜 지금껏 한마디도 하시지 않은 건데요? 설마 우리가 훔쳐 갈 거라고 생각하신 건 아니겠죠?"

화군악이 눈을 퉁방울처럼 치켜뜨며 화를 냈다.

"미안, 미안. 까마득하게 잊고 있었다. 설마 네가 훔쳐 갈 거라고 생각했겠느냐?"

강만리가 손을 저으며 대답했다.

"진짜 거궐이 맞습니까?"

설벽린이 침을 꿀꺽 삼키며 물었다.

"나야 모르지. 하지만 전하께서 거짓말을 할 리는 없겠지."

강만리의 말에 설벽린은 저도 모르게 긴 한숨을 토해냈다. 그 모습을 바라보던 강만리의 시선이 담우천에게로 향했다. 혹시 할 말이 있느냐는 표정이었다. 담우천은 아무 말 없이 차만 연달아 석 잔을 따라 마셨다.

강만리가 입을 열었다.

"마침 형님께서 적당한 무기가 필요하다고 하셨으니 그 검 형님이 쥐어 보면 어떻겠습니까?"

꿀꺽!

누군가 침을 삼키는 소리가 크게 들려왔다.

언제나 냉정하고 침착하기만 하던 담우천도 강만리의 이야기에 평정을 잃은 듯 차를 따르는 손이 바르르 떨렸다. 찻물이 흘러넘쳐 탁자를 적셨다.

"그, 그래도 될까?"

담우천이 흔들리는 목소리로 물었다. 강만리가 대꾸했다.

"왜 안 되겠어요? 어차피 나는 사용도 못하는 검인 데다가, 때마침 형님이 무기를 원하셨잖아요."

"으음. 그럼 고맙게 받겠네. 이 은혜 평생 잊지 않겠네."

담우천은 자리에서 일어나 두 손까지 모으며 말했다. 강만리는 느닷없는 담우천의 행동에 깜짝 놀라 허둥지둥 자리에서 일어나 예를 갖추며 대답했다.

"아닙니다. 그동안 형님께서 우리를 도와주신 것만으로도 이미 차고 넘칩니다. 그러니 두 번 다시 은혜니 뭐니 하는 말씀은 하지 않으셔도 됩니다."

"고맙네. 정말 고맙네."

담우천의 진지한 표정에 강만리는 머쓱한 표정을 지었다. 이윽고 두 사람이 자리에 앉자 화군악이 투덜거리듯 입을 열었다.

"그럼 우리는요?"

강만리가 눈살을 찌푸리며 말했다.

"애냐?"

"애가 아니니까 울지도 않고 발버둥도 치지 않는 거잖아요. 이렇게 점잖게 말하는 애가 어디 있어요?"

"그래, 아주 잘 자란 어른이다."

"그러니까요. 우리에게도 뭐가 있어야죠."

"흠."

강만리는 머리를 긁적이다가 불쑥 입을 열었다.

"하기는."

"하기는?"

화군악이 눈을 동그랗게 뜨며 강만리의 말을 따라 했다. 강만리는 짐짓 눈을 부라리며 말했다.

"전하께서 우리가 필요하다면 황궁무고를 열어 주신다고 말하신 적이 있긴 하다."

"와우!"

화군악이 허공에 대고 마구 주먹질을 하면서 소리쳤다.

"그래! 그래야지! 세상일이라는 게 이렇게 공평한 부분이 있어야지! 담 형님이 저렇게 운이 좋은데 우리만 운이 나쁠 리가 없잖아!"

담우천이 쓰게 웃는 가운데, 강만리가 손을 저어 화군악을 조용하게 만든 다음 다시 입을 열었다.

"사실 그때의 약속이 지금까지 유효한지는 나도 잘 모르겠다. 그때만 하더라도 동창과 금의위의 지휘권을 주겠다 하셨고, 자금도 아낌없이 지원하겠다고 하셨으며 황궁무고를 털어서 원하는 건 뭐든지 주겠다고 하셨지만……."

"와아! 그게 정말입니까? 왜 그런 이야기를 진작 하지 않으셨어요? 만약 우리가 동창과 금의위를 움직일 수 있었다면 저 철목가 따위……."

"군악아."

"네? 아, 네."

강만리는 평소보다 훨씬 더 가라앉고 진중한 눈빛으로 화군악을 바라보았다. 장난기 많은 화군악도 강만리의 표정이 심상치 않다고 여겼는지 입을 다물고 자리에 가만히 앉아 있었다.

강만리가 조금 딱딱한 목소리로 말했다.

"전하께서 황궁 역모 사건의 배후를 색출하는 데 필요하면 그리해 주겠다 하셨지, 우리가 오대가문을 상대로 싸우는데 황궁무고를 열어 준다고는 하지 않으셨다."

"그게 그거지."

화군악이 입술을 삐죽이며 중얼거렸다.

"황궁 역모 사건의 배후야 다들 말을 안 해서 그렇지 누군지 뻔히 알고 있는 거고. 그들이 오대가문 중 하나이니까 당연히 황궁무고를 열어 줄 수 있는 건데."

"뭘 혼자 그리 중얼중얼하느냐? 비 맞은 중도 아닌 것이."

"아뇨. 아무 말도 하지 않았습니다."

강만리는 시치미를 떼는 화군악을 한 번 노려본 다음 계속해서 말을 이어 나갔다.

"물론 황국 역모 사건의 배후와 오대가문이 연관되어 있을 가능성이 없지 않으니 그걸 이유로 해서 부탁하면 들어주지 않을 리는 없겠지."

"내 말이 그 말이라니까."

화군악이 다시 중얼거렸다. 강만리는 이번에는 화군악을 아예 쳐다보지도 않고 말했다.

"하지만 아무리 황태자 전하라 하더라도 황궁무고는 그리 간단하게 열 수가 없는 곳이야. 어쨌든 황제의 승인이 나야만 비로소 열리는 곳이니까."

"무슨 말인지 알겠네."

담우천이 말했다.

"어쨌든 황태자께 부탁은 해 보겠다. 하지만 황궁무고를 연다는 확답은 못하겠다, 이게 아닌가?"

"아니, 그게……."

강만리는 제 말의 의미가 살짝 곡해되는 것 같아서 입을 열려고 했다. 하지만 화군악과 다른 형제들이 더 빨랐다.

"그 정도는 충분히 이해합니다, 형님."

"그럼요. 황궁무고를 열지 못했다고 해서 누가 형님을 탓하겠습니까?"

"흠. 그러면 최대한 빨리 북경부까지 가는 일정을 짜야겠군. 오대가문이 다시 움직이기 전에 갔다 와야 하니까."

설벽린은 아예 북경부 황궁에 가는 걸 기정사실화하고는 일정과 인원, 예산 등에 대해서 이야기를 늘어놓았다.

강만리는 어이가 없었다. 순식간에 일이 자신의 생각과는 달리 엉뚱한 방향으로 진행되는 것이다. 물론 그렇게 만든 건 담우천이었다.

"아휴, 형님."

강만리가 투정하듯 그를 부르자 담우천이 살짝 미소를 지으며 말했다.

"나는 거궐을 얻었으니 굳이 북경부까지 갈 필요가 없지. 이곳에 남아서 양 당주와 함께 수성(守城)에 힘을 쓰겠네."

"아, 그러면 정유 형님을 데리고 가죠."

화군악의 말에 장예추가 고개를 끄덕이며 말을 받았다.

"그때 대사형을 알현했을 때 함께 계셨다고 했으니까 충분히 정 형님 몫도 있겠네요. 그리고 무엇보다 이번 사건에 대해서 아무래도 마음이 지쳐 있을 터, 조금이라도 휴식을 취하고 기분 전환도 할 겸 말이죠."

장예추의 입에서 정유 이야기가 나오자 떠들썩하던 분위기가 살짝 가라앉았다.

정유가 아무리 상관없다고 누누이 이야기했어도 어찌 되었건 자신을 낳아 준 부친이 죽은 것이다. 그것도 의형제를 맺은 이들의 손에 의해.

"흠, 정유와 이야기를 해 봤나?"

담우천이 묻자 강만리는 고개를 저었다.

"아직 시간이 없어서요."

"그럼 이 모임 끝나면 가서 한번 얼굴이라도 비치게. 아무래도 우리가 함께 몰려가는 것보다는 자네 혼자 가는 게 낫지 않을까 싶네."

"저도 그리 생각합니다."

담우천의 말에 고개를 끄덕이며 대답한 강만리는 다시 화군악들을 돌아보며 말을 이었다.

"그럼 저녁 식사 이후 다시 자리를 갖기로 하고 이만 해산하지. 다들 할 일들도 많고 생각할 것도 많을 테니까."

"네. 그럼 북경부 여행 건에 대해서 빠르게 진행하도록 할게요."

화군악이 웃으며 말했다. 강만리는 그를 지그시 노려보다가 어쩔 도리가 없다는 듯이 고개를 설레설레 흔들었다. 그리고는 끄응, 하고 자리에서 일어나다가 문득 생각났다는 듯이 담우천을 향해 말을 건넸다.

"아, 형님은 저와 함께 가시죠. 검을 받아 가야 하실 테니까요."

이번에도 화군악이 먼저 대꾸했다.

"와아, 우리도 같이 가면 안 될까요? 거궐이라는 게 어떻게 생겼는지 구경 좀 하게요."

"군악, 너 진짜……."

강만리가 화를 내려고 할 때 담우천이 웃으며 가로막았다.

"그래, 다들 같이 가세. 나도 흥분되고 긴장되는데 다른 이들도 매한가지겠지."

담우천이 그렇게까지 말하자 강만리는 화를 낼 수조차 없었다. 그는 포기했다는 듯이 두 손을 높이 들며 말했다.

"아니, 그럼 다들 여기서 기다리라고. 내가 가서 찾아올 테니까."

"네, 형님!"

화군악이 활짝 웃으며 말했다.

"기다리고 있을 테니까 최대한 빨리 오셔야 해요."

강만리가 다시 한번 그를 노려보았다.

2. 거궐(巨闕)

강만리는 위정전 대청을 빠져나와 곧장 화평각으로 향했다.

이미 해가 중천에 떠 있는 시각, 장원 내에는 많은 이들이 분주하게 돌아다니고 있었다. 강만리와 마주친 사람들은 허리를 굽혀 인사했다.

강만리는 그들의 얼굴에 스며 있는 밝은 표정과 환한 미소를 지켜보았다. 일개 시녀나 하인은 물론 호원 무사들까지 활기가 넘쳐흐르고 있었다.

그들이 언제나 그렇게 밝고 활기 넘쳐야 한다는 생각이 드는 순간 강만리의 어깨가 절로 무거워졌다.

화평각에 당도한 강만리는 곧바로 창고로 직행했다. 창고에는 수백 가지 물품들이 가지런하게 정돈되어 있었다.

강만리는 그 구석진 곳에서 황금빛 비단 보자기로 꽁꽁 싸두었던 물건을 꺼내 먼지를 털었다.

대충 어린아이 키만 한 크기의 물건이었는데, 바로 그게 거궐이라는 검이었다.

그가 보자기를 들고 다시 위정전으로 돌아왔을 때, 대청 밖으로 한바탕 휘몰아치는 격론의 말다툼이 새어 나왔다. 강만리는 입구에 선 채 살짝 눈살을 찌푸리며 잠시 였들었다.

"그러니까 다음 상대는 금해가가 되어야 한다니까요! 금해가 초일방과 철목가 정극신은 세상이 다 아는 친구 사이가 아닙니까? 정극신이 살해당한 걸 알게 되는 날에는 금해가가 모든 전력을 기울여서 우리를 처치하려 들 겁니다. 그 전에 우리가 먼저 해치워야 한다니까요."

"그 말도 일리가 있어. 하지만 그보다 먼저 철목가와 무적가를 몰살시켜야 해. 비록 이번 전투로 인해 커다란 손실을 보았다고는 하지만 그래도 가만 놔두면 다시 세력을 끌어모으고 집결시켜서 더욱 단단하고 무서운 집단으로 변모할 게 틀림없거든."

"군악 말도 맞고, 설 형님 말씀도 옳지만 그래도 나는 역시 건곤가를 족쳐야 한다고 생각해요. 무엇보다 건곤가는 경천회의 배후로 지목되는 곳이니까요. 이번에 북경부에 가서 황태자 전하를 만나 황궁무고에 대해 이야기할 때에도 충분히 효과가 있을 겁니다."

강만리가 가만히 이야기를 들어보니 다음 싸울 상대를 놓고서 어디가 제일 나은지를 토론하는 모양이었다. 강만리는 살짝 안도의 표정을 지으면서도 한숨을 내쉬었다.

'지금 중요한 건 내실을 다지는 거지, 싸울 상대는 천천히 두고 정해도 늦지 않다고.'

강만리는 그렇게 생각하며 대청 안으로 들어섰다.

그의 기척을 눈치챘는지, 한참 말싸움을 하던 사람들이 일제히 입을 다물고 강만리를 돌아보았다. 그들의 시선은 강만리가 들고 있는 황금빛 비단 보자기로 쏠려 있었다.

강만리는 어깨를 한 차례 으쓱거리고는 천천히 걸어와 보자기를 담우천에게 건넸다. 담우천은 자리에서 벌떡 일어나 정중한 자세로 보자기를 건네받았다.

"얼른 풀어 봐요."

화군악이 침을 꿀꺽 삼키며 채근했다.

언제나 무표정하던 담우천은 감개무량한 얼굴로 보자기를 내려다보다가 탁자 위에 올려놓고 천천히 풀기 시작했다. 비단 보자기가 사르르 풀리자, 그 안에서는 한 자루의 검이 고색창연한 모습을 드러냈다.

사람들은 참지 못하고 벌떡 자리에서 일어나 고개를 들이밀며 검에 시선을 고정했다.

검집에는 육국문자(六國文子)의 글자체로 쓴 두 글자가 선명하게 새겨져 있었다.

거궐(巨闕)

"으음."

"세상에!"

"전설이 아니었네요, 구야자(歐冶子)의 이야기는."

사람들은 저마다 거궐을 목도한 소감을 짧은 탄식이나 중얼거림으로 대신했다.

오직 한 명, 설벽린만이 의혹의 눈길로 검집을 내려다보며 고개를 갸우뚱거리다가 도저히 참지 못하겠다는 듯이 입을 열어 의문을 제기했다.

"그런데 말이죠. 아무래도 이상한데요."

그렇게 설벽린이 말을 꺼냈지만 사람들의 시선은 그 검에서 떨어질 줄 몰랐다. 설벽린은 살짝 기분이 나빠진 듯, 조금 더 퉁명스러운 목소리로 말을 이었다.

"그거 가짜 아닐까요?"

"뭐?"

"뭐라고요?"

그제야 사람들이 설벽린을 돌아보았다. 설벽린은 고개를 까닥거리면서 말했다.

"제가 오랫동안 와주(窩主) 노릇을 한 건 다들 잘 아시잖아요?"

와주란 곧 장물아비, 도둑질한 물건이나 주운 물건들을 싸게 사서 비싼 값으로 되파는 자를 가리켰다.

그렇게 도둑질한 물건 중에는 고화(古畵)나 고서(古書) 등 오래된 물건들이 제법 있는데, 그 물건들의 진위를 제대로 감정할 줄 알아야 비로소 한 사람 몫의 와주 노릇을 할 수 있었다.

“나름대로 제법 유명한 와주였거든요, 제가. 특히 오래된 물건을 감정하는 데에는 상당한 재주가 있어서…….”

“그래서 뭐?”

강만리가 닦달하듯 말했다.

“얼른 본론으로 들어가라. 왜 가짜라고 생각했는데?”

“그게, 그러니까요. 가짜라고 생각한 이유가 두 가지가 있는데요. 확실하지는 않지만 구야자가 있던 시대에 육국문자가 있었을까 하는 게 첫 번째고요, 두 번째로는 당시 가죽 다리는 기술로는 저런 검집을 만들 수 없다는 거죠.”

“흠.”

역사에 견식이 짧은 강만리로서는 엉덩이만 긁적거릴 수밖에 없는 이유였다. 화군악도 강만리와 같은 표정을 지으며 고개를 외로 꼬았다.

그때, 장예추가 조심스럽게 자신의 의견을 개진했다.

“춘추(春秋)와 전국(戰國)의 시대가 서로 겹치는 부분이 적지 않으니까 금문(金文) 대신 육국문자를 사용할 수도 있지 않을까요?”

“그래. 나도 비슷한 생각을 했어.”

설벽린이 고개를 끄덕이며 동의했다.

“그래서 확실하지 않다고 했잖아. 어쨌든 월국에서 육국문자를 사용했을 수도 있으니까.”

강만리와 화군악은 눈을 동그랗게 뜬 채 두 사람의 대화를 듣다가 저도 모르게 서로를 돌아보았다. 그리고는 동병상련의 쓴웃음을 흘리며 다시 서로를 외면했다.

구야자는 춘추시대 사람으로, 월왕(越王)의 명을 받고 다섯 자루의 명검을 만들었으니 거궐, 담로, 순구, 승사, 어장(魚腸)이 바로 그것이었다.

그리고 훗날 오나라의 명장(名匠)인 간장(干將)과 힘을 합쳐서 용연(龍涎) 태아(泰阿), 공포(工布)라는 세 자루의 명검을 만들었다고 전해진다.

강만리와 화군악도 구야자가 누구인지 어떤 검을 만들었는지는 익히 알고 있었으나, 그가 춘추 사람인지 전국 사람인지 몰랐으며 금문이 무엇인지 육국문자가 무엇인지도 모르고 있었다.

그렇게 강만리와 화군악이 서로 멀뚱한 표정만 짓고 있을 때 설벽린이 계속해서 이야기했다.

“하지만 그 오래된 시대에 이렇게 말끔하고 깨끗하게 유성(鞣成)하고 무두질을 한 가죽을 이용해서 검집을 만든다? 그건 아니라고 봐. 최소한 이 검집은 춘추나 전국시대가 아닌, 수(隋)나 당(唐) 때의 작품이 아닐까 싶어.”

“음, 확실히 그런 것 같기도 하네요. 게다가 지금 다시 보니

각인된 글자가 생각보다 훨씬 선명한 것 같기도 하고……."

장예추가 고개를 끄덕일 때였다.

담우천은 잠자코 검집에서 검을 빼 들었다. 그리고 날카로운 시선으로 검날을 쓰윽 살펴보고는 그 검날에 손가락을 대어 피를 냈다. 놀랍게도 핏물은 검날에 엉겨 붙지 않은 채 툭, 하고 떨어졌다.

"검집은 몰라도 이 검이 천하의 명검인 것만은 확실하군. 설령 거궐이 아니더라도 말이지."

담우천은 나직하게 중얼거렸지만, 대청의 네 사람은 똑똑히 들을 수가 있었다. 화군악도 놀란 눈빛으로 검날을 지켜보며 말했다.

"확실히 대단한 검이네요. 피는 물론이고, 기름도 묻지 않았어요."

사람을 베면 검날에는 피와 기름이 묻게 된다. 몇 번이고 베면 벨수록 묻어나는 피와 기름으로 인해 검날의 예리함은 죽고 뭉툭해져서 마침내 제 역할을 하지 못하게 된다.

그래서 사람을 베어 묻은 피와 기름을 떨쳐 내려고 일부러 싸움 도중에 검이나 칼을 허공에 대고 크게 휘두르기도 했다. 그럼에도 불구하고 계속 쌓여 가는 핏물과 기름의 흔적으로 인해 검날의 예리함은 죽을 수밖에 없었다.

반면 이른바 보검, 명검이라 불리는 검들은 달랐다. 수십 번 수백 번 살을 가르고 뼈를 부숴도 검날이 상하지 않고 예리함을 잃지 않았다.

그것이 바로 무림인들이 보검, 명검을 얻기 위해 제 목숨을 바치는 이유 중의 하나였다.

거기에다가 거궐은 그 단단함과 예리함으로 더 큰 명성을 얻었다.

전해 오는 말에 의하자면, 거궐로 청동이나 쇠그릇을 찌르거나 베면 잘린 부위에 좁쌀만 한 구멍이 송송 뚫렸다고 했다.

검날이 워낙 예리하고 잘 들어서 청동이나 쇠그릇을 만들 때 들어간 공기 거품까지 베이면서 그 구멍이 그대로 남게 되었다는 것이다.

'속이 비어 크게 구멍이 났다'라는 의미인, 거궐(巨闕)이라는 검의 명칭 또한 바로 그러한 이유에서 붙여졌다고 했다.

3. 눈물

"정말 대단한 검이다."

담우천은 다시 한번 감탄했다.

탁자 위에는 두 동강이 난 검 한 자루가 아무렇게나 나동그라져 있었다. 조금 전 거궐에 의해 잘려 나간, 평소 담우천이 사용하던 검이었다.

"검집은 구야자가 아니라 후세대(後世代)의 누군가가 만들었을 가능성이 크다고 생각하지만, 이 검만큼은 확실히 거궐이라고 생각한다. 이런 명검을 내가 가져도 될까?"

담우천의 질문에 강만리는 웃으며 말했다.

"명필가(名筆家)는 붓을 가리지 않는다는 속담이 있지만, 그 검은 확실히 형님에게 가장 잘 어울립니다. 형님이 들어야만 비로소 그 검의 진실한 위용이 발휘될 수 있을 테니까요."

"그럼 사양하지 않겠네. 고맙네."

담우천은 허리춤에 검집을 달고 검을 꽂았다. 확실히 중후한 품격의 담우천이 그 고색창연한 검을 차고 있자니, 만인을 압도하는 기품이 절로 풍겼다.

"그럼 이제 우리들도……."

화군악이 군침을 삼키며 입을 여는 순간, 강만리가 손뼉을 치며 크게 말했다.

"그럼 이것으로 오늘 회합은 끝내자. 이제 슬슬 정유를 만나러 가야 할 것 같으니까."

강만리는 화군악이 다시 딴지를 걸기 전에 황급히 자리

에서 일어났다. 화군악이 먹이를 원하는 강아지의 눈빛으로 그를 쳐다보았지만 강만리는 일부러 모르는 척 허둥지둥 자리를 빠져나왔다.

"녀석 말을 듣다가는 오늘 하루 종일 붙잡혀 있어야 할 것이야."

강만리는 고개를 설레설레 흔들며 정원을 가로질러 마당으로 나왔다.

평소 연무장으로 사용하는 넓은 앞마당에는 마침 수십 명의 장한이 웃통을 벗은 채 권각술을 펼치고 있었다. 양위는 장한들의 사이를 지나다니면서 예리한 눈빛으로 움직임을 지켜보다가 한마디씩 가르침을 내리는 중이었다.

"아직도 자세가 높다. 지금 펼치고 있는 파천앙권(破天仰拳)의 뜻을 제대로 이해하지 못한 움직임이다. 다리를 길게 앞으로 내밀어 자세는 최대한 낮게, 그리고 주먹은 최대한 높게. 그게 파천앙권의 올바른 자세이다. 아, 나오셨습니까?"

"인사는 됐소. 계속 수고하시오."

강만리는 손을 한 차례 흔들어 보인 다음 연무장을 지나 영빈각으로 향했다.

사실 이 화평장에서 정유의 신분은 애매했다. 강만리의 의형제이기는 하되 이곳에 상주하지 않는 까닭에 따로 일정한 거처를 정하지 않고 화평장을 찾을 때마다 주로 영빈각에 머물렀다. 그건 강만리보다 정유의 의중이 더 컸다.

"훗날 태극천맹에서 은퇴하여 자유로운 몸이 되었을 때, 그때나 거처를 마련해 주세요. 음, 세상일 다 잊고 유유자적 살아간다는 의미에서 망은(忘隱)이라는 편액이 달린 조그만 공간이면 충분해요."

언젠가 정유가 강만리에게 했던 말이었다.

'망은이라…….'

영빈각으로 향하는 도중, 강만리는 문득 그때의 기억을 떠올렸다.

당시에는 그저 농담이라고 생각했는데 지금 돌이켜 보면 그 망은이라는 단어가 함축한 의미가 평범하지 않다고 느껴졌다.

망은(忘隱)은 곧 세상의 모든 은원을 잊고 홀로 은거하여 살겠다는 정유의 뜻이었던 게다.

강만리는 착잡한 기분으로 영빈각에 당도했다. 입구를 지키고 있던 위사들이 그를 보고 허리를 숙였다.

강만리가 물었다.

"정유는 안에 있느냐?"

"네. 아직 처소에 계십니다."

"아직까지?"

"네, 그렇습니다."

"흠. 그래, 수고해라."

강만리는 위사들의 어깨를 두드리고는 영빈각으로 들어섰다. 일 층 대청을 지나 이 층으로, 다시 삼 층으로 오른 강만리는 복도를 따라 정유가 머무는 처소 방문 앞에 이르렀다.

강만리는 가볍게 헛기침을 한 후 입을 열었다.

"일어났……."

"들어오세요, 강 형님."

강만리의 말이 채 끝나기도 전에 문 저편에서 정유의 침착한 목소리가 들려왔다. 강만리는 머쓱한 표정을 지으며 방문을 열었다.

정유는 꽤 오래전에 일어난 듯 의복을 정제한 채 창가 차탁에 앉아서 차를 마시고 있었다. 그는 강만리를 바라보며 활짝 웃었다.

"유난히 좋은 날씨네요."

"그러게."

강만리는 힐끗 창문 쪽을 바라본 다음, 구석진 곳에 놓인 차탁을 들고 정유 곁으로 다가가 끄응, 하며 자리에 앉았다.

강만리는 잠시 정유의 얼굴을 들여다보았다.

보아하니 일찍 일어난 게 아닌 것 같았다. 밤새 한숨도 잠을 이루지 못하고 이렇게 마냥 차탁에 앉아서 멍하니 창밖을 바라보기만 한, 그런 모습이었다.

"아침은?"

강만리의 불퉁스러운 질문에 정유는 싱글거리며 대답했다.

"아직요. 어제 늦게 야식을 먹어서 그런지 생각이 없네요."

"흠, 그럼 안 되지. 끼니는 꼬박꼬박 때를 맞춰서 먹어야 한다. 내가 이렇게 건강한 이유가 바로 그것 때문이거든."

"형님보다는 제가 훨씬 더 건강해 보이는데요?"

"너는 건강한 게 아니라 마른 거고, 나야 겉으로 보면 살찐 것처럼 보이지만 이게 다 근육이라니까."

"네, 네. 형님 말이 옳습니다. 그런데 어쩐 일로 예까지 찾아오셨습니까? 설마 제 끼니 걱정 때문에 찾아온 건……."

"아니, 확실히 네 끼니 걱정 때문에 찾아온 거다."

거기까지 말한 강만리는 귀를 후비적거리면서 잠시 할 말을 찾았다. 그리고는 정유의 눈치를 살피며 조심스레 입을 열었다.

"별일은 없고?"

정유의 눈이 커졌다.

"왜요? 별일이 있을 게…… 아!"

정유가 생각났다는 듯이 눈을 반짝이며 말을 이어 나갔다.

"어제 다들 늦게 돌아오는 바람에 제대로 보고를 드리지 못했네요. 사실 어제 두 분 사부와 함께 영화객잔으로 향하던 참에 우연히 위천옥 일행과 마주쳤어요."

일순 강만리가 긴장하며 물었다.

"정면으로 부딪친 거야?"

"아뇨. 다행히도 제법 먼 거리에서 우리가 먼저 그들을 발견하고 몸을 숨겼습니다. 그런데도 그 기척을 알아차렸는지 위천옥이 우리가 숨어 있는 곳을 돌아보면서 싱긋 웃더라니까요. 아닌 게 아니라 정말 괴물이 따로 없더군요. 심지어 허 노야조차 우리의 기척을 전혀 눈치채지 못했는데도 말이죠."

정유는 어젯밤의 기억을 떠올리며 가볍게 고개를 내저었다. 그의 표정에는 확실히 놀란 기색이 역력했다.

"그래서 영화객잔으로 가는 건 포기하고 게서 발길을 돌렸습니다. 그 바람에 형님께 아무런 도움이 되지 못했습니다."

"아니, 잘했다."

강만리는 고개를 끄덕이며 말했다.

"현 상황에서는 그 위천옥이라는 괴물과 어떤 식으로든 부딪치지 않는 게 최선이라고 생각하니까. 굳이 영화객잔까지 오지 않고 발길을 돌린 건 정말 잘한 거다."
"죄송합니다."
"죄송할 게 어디 있어? 외려 우리가……."
강만리는 '우리가 미안하지'라는 말을 하려다가 얼른 목구멍 안으로 집어삼켰다. 그리고는 입술을 깨물며 잠시 말문을 닫았다.
어색한 공기가 반쯤 열린 창문을 통해 흘러드는 듯싶었다. 방의 공기는 서늘했고 분위기는 가라앉았다. 복잡미묘한 표정이 강만리의 얼굴 위로 그림자처럼 내려앉을 즈음, 정유가 먼저 입을 열었다.
"고통을 느끼면서 죽었을까요?"
누가?
굳이 물어볼 필요는 없었다. 강만리는 지금 정유가 누구를 가리켜 말하는지 정확하게 알고 있었다.
"아니."
강만리는 가래가 섞인 듯, 낮은 목소리로 말했다.
"고통을 느낄 새도 없이 죽었다."
"다행이네요."
정유가 희미하게 미소를 머금으며 말했다.
"안 그래도 담 형님께 그런 부탁을 했거든요. 일격에 죽여 달라고 말이에요. 그래도 제 부친이니까, 고통을 느끼지 못하고 죽…… 죽기를 바랐거든요."

"그게……."

강만리는 뭔가 울컥해져서 길게 숨을 내쉬었다. 그리고 마침내 결심한 듯 모진 표정을 지으며 입을 열었다.

"실은 일격에 죽이지 못했다. 아니, 외려 우리가 당할 뻔도 했다. 정극신, 생각보다 훨씬 강하고 무서웠다. 담 형님과 내가 힘을 합치지 않았더라면, 그의 순간적인 허점을 노리고 기습을 펼치지 않았더라면…… 아마 쉽게 승리를 얻지는 못했을 것이다."

강만리는 차분하게 당시 상황을 설명했다.

정극신이 얼마나 강했는지, 그가 내뿜은 가공할 기세와 무위에 얼마나 당황했는지, 그리고 어떻게 싸워서 승리를 쟁취하고 정극신을 죽이게 되었는지, 강만리는 더하지도 않고 빼지도 않은 채 있는 그대로 이야기했다.

정유는 묵묵히 그 이야기에 귀를 기울였다. 입가에 엷은 미소를 머금은 채, 한없이 깊게 침잠된 눈빛으로 강만리를 바라보면서 그의 말을 듣고 있었다.

"그 싸움을 통해서 우리는 아직 우리의 실력이 부족하다는 사실을 절감했다. 지금보다 두 배는 더 강해져야만 남은 가문들과 싸울 수 있다고 생각했지. 그래서……."

"북경부로 가시려고요?"

정유는 마치 강만리 일행의 회합을 지켜보기라도 한 듯 그렇게 물었다. 강만리는 허를 찔린 듯 움찔거렸다. 정유는 미소를 잃지 않은 채 말을 이었다.

"일전에 대사형께서 언제든 황궁무고를 열어 주신다고 했잖아요? 당연히 그 이야기가 나왔을 거라는 생각이 들었거든요."

"음, 그렇지."

기억을 더듬어 보면, 당시 황태자 주완룡이 이곳 화평장을 방문했을 때, 그 자리에는 정유도 함께하고 있었으니까.

그때 정유가 무슨 말을 했는지 생각이 나지는 않지만, 그래도 정유 덕분에 주완룡이 황궁무고 운운하게 되었다는 기억만큼은 강만리의 뇌리에 남아 있었다.

"기억나지 않으십니까?"

정유가 말했다.

"그때 저도 겸사겸사 황궁무고에 들어가고 싶다고 말씀드렸는데."

"아, 그랬던가? 그렇군. 그래, 너도 함께 가야지. 당연한 게야. 너 때문에 황태자께서 황궁무고를 열어 주신다고 했으니까 말이지."

"그건 또 기억하시네요."

"물론이다."

강만리는 정유를 똑바로 바라보며 말했다.

"다른 건 몰라도 지금껏 네가 나를 도와줬던 그 모든 건 똑똑하게 기억하고 있다. 비록 내 머리가 둔하고 모자라기는 하지만 그 고마움과 은혜는 결코 잊지 못할 것이다."

"아휴, 무슨 낯간지러운 말씀을……."

"아니, 정말이다. 실은 이번 일만 해도 그렇다."

강만리는 목이 마른 듯, 찻주전자를 통째로 들고 벌컥벌컥 차를 마신 뒤 다시 말을 이어 나갔다.

"어찌 되었건 네 부친이다. 비록 너를 내쫓고 외면했다고는 하지만, 그래도 네가 세상에 있게 해 준 사람인 게다. 만약 네가 미적거리거나 조금이라도 흔들리는 표정을 지었다면 결코 그와 싸우지 못했을 것이다."

"……."

"하지만 너는 전혀 미동도 하지 않았다. 외려 우리를 응원하고 우리가 전력을 다해 싸울 수 있도록 해 주었다. 사실 담 형님에게 일격에 해치워 달라고 했다는 그 말, 그것 역시 조금도 망설이지 말고 최선을 다해 싸우라는 의미가 아니었더냐? 그래서, 진심으로 고맙다. 그렇게 언제나 내 편이 되어 줘서. 내게 힘이 되어 주어서. 정말 감사하게 생각한다."

길고도 긴 이야기를 끝낸 강만리는 자리에서 일어나 두 손을 모으며 정중하게 허리를 굽혔다. 그가 할 수 있는 최고의 예(禮)를 담아서 자신이 얼마나 고마워하는지 전해 주고 싶었던 것이다.

정유는 아무런 말이 없었다. 그저 미소 띤 얼굴로 가만히 강만리를 바라보고 있을 따름이었다.

허리를 숙인 강만리는 뭔가 이상하다 싶었다. 정유로부터 전해지는 기척이 미미하게 흔들리고 있었다. 강만리는 고개를 들었다. 정유를 본 그는 깜짝 놀라 눈이 휘둥그레졌다.

"우, 우는 게냐?"

울고 있었다.

정유는 입가에 미소를 머금은 채 아무런 소리도 내지 않고 두 눈 가득 눈물을 흘리고 있었다. 눈물은 그의 뺨을 지나 턱을 타고 뚝뚝 떨어졌다.

"그러니까요."

정유는 애써 웃으며 두 손으로 얼굴을 벅벅 문질렀다.

"왜 갑자기 그렇게 낯뜨거운 말씀을 하셔서…… 이게 다 형님 때문입니다."

강만리를 탓하는 목소리도 울고 있었다. 울음기가 잔뜩 배어 있는 목소리였다. 정유는 두 손으로 연신 얼굴을 문지르며 웃으려고 했다.

"아니, 참. 이게 뭡니까? 사내자식이 이렇게 계집처럼 울고 있다니…… 행여라도 다른 형제들에게 가서 이야기하면 안 됩니다."

강만리는 저도 모르게 정유에게 다가갔다. 그리고 힘껏

그를 부둥켜안았다.

정유는 부끄럽고 창피하다는 듯 그의 품을 벗어나려고 했다.

하지만 강만리는 그를 놓지 않았다. 외려 정유가 벗어나려 할수록 더욱 강한 힘으로 그를 끝까지 부둥켜안은 채 입을 열었다.

"울어도 된다."

왠지 그의 목소리에서도 울음기가 배어 나오는 것 같았다.

"얼마든지 울어도 된다. 내 앞에서는, 이 형 앞에서는 자존심이고 뭐고 다 버리고 엉엉 울어도 된다. 형제 좋은 게 뭐냐? 가족 좋은 게 뭐냐? 타인들 앞에서는 벗을 수 없는 자존심이나 체면 따위 다 벗어 버리고 벌거숭이가 될 수 있다는 게 가장 좋은 게 아니더냐? 그러니 엉엉 울어라. 큰 소리 내서, 목 놓아 울어라. 그간 맺힌 모든 감정 다 쏟아 내라. 나도 네 앞에서는 그렇게 벌거숭이가 될 테니까 말이다."

강만리의 말이 끝나기가 무섭게 정유의 어깨가 크게 흔들렸다. 비록 소리는 내지 않았지만 정유가 흘리는 뜨거운 눈물이 강만리의 옷깃을 흠뻑 적시고 있었다.

강만리는 입술을 앙다문 채 그의 어깨를 가만히 두드려 주었다.

어찌 보면 참으로 기구한 운명의 두 사람이었다. 처음 만났을 때도 그러했다.

아직 무림포두라는 별호를 얻기 전 강만리는 태극감찰밀의 무사를 죽인 적이 있었다.

당시 자신의 수하를 잃은 정유가 그 사건을 조사하기 위해 성도부를 찾았다가 강만리와 교분을 나누게 되었으니, 처음부터 두 사람의 관계는 참으로 기묘하다 할 수 있었다.

그리고 이제는…….

형제에 의해 부친이 살해당한 자, 그리고 형제의 부친을 살해한 자가 되어 서로를 마주하고 있는 것이다.

그렇게 기묘하고 기구한 운명의 두 사람은 서로를 부둥켜안은 채 오랫동안 움직이지 않았다.

그들 사이에 알게 모르게 쌓여 있던 애증의 감정이 녹아내리는 듯, 두 사람은 한없이 소리 없는 눈물을 흘렸다.

3장.

숙명(宿命)

"그렇지만 그런 건 우리 무림인들의 숙명(宿命)이잖아?
애당초 무공을 배웠을 때부터, 그 무공으로 다른 사람들을 죽일 때부터,
우리 역시 언제 어떻게 죽을지 모르게 된 거잖아? 아, 뭐라고 해야 하지?"

1. 담호

그날 저녁.

오래간만에 대식구가 위정전 대청에 모여 식사를 즐겼다. 무림오적 다섯 식구와 정유, 아란, 고괭, 만해거사, 유 노대, 헌원중광, 소묘아, 고로투에다가 아이들까지 해서 무려 이십 명이 넘는 대가족의 저녁 식사였다.

시끌벅적한 시간이었다. 담호를 제외한 아이들은 말릴 수가 없었다. 담창은 연신 손으로 음식을 주워 먹으며 시끄럽게 떠들었다. 강정과 화소군은 사방을 기어 다녔고, 보보는 울다가 먹다가 또 울기를 반복했다.

하지만 누구 하나 눈살을 찌푸리지 않았다. 이렇게 대가족이 한꺼번에 모인 건 무려 두 달 만의 일이었다. 이 정도 소동은 유쾌하게, 그리고 즐겁게 받아들일 수가 있었다.

"아쉽군. 우 소저와 사 소저가 있었으면 더 좋았을 텐데."

만해거사는 자신의 수염을 잡아당기는 강정 때문에 인상을 찡그리며 말했다. 예예가 얼른 강정을 떼어 놓으며 말을 받았다.

"한두 달 안에 돌아오실 거예요."

우 소저는 곧 우화, 야래향을 가리켰고 사 소저는 사경경, 즉 빙혼마고를 뜻했다. 세상이 아무리 넓고 기인이사가 모래알처럼 많다 한들, 그들 두 여마두를 가리켜 소저 운운하는 사람은 아마도 만해거사가 유일할 것이다.

"자, 다들 얼추 식사를 마친 것 같으니까."

강만리가 입을 열었다. 사람들의 이목이 그에게로 쏠렸지만 아이들은 달랐다. 여전히 뛰놀고 울고 소리를 지르는 바람에 강만리는 제대로 이야기할 수가 없었다.

눈치 빠른 소화가 재빨리 자리에서 일어나며 말했다.

"제가 아이들을 돌볼게요."

담우천의 둘째 부인인 그녀는 시녀들과 함께 말썽꾸러기 아이들을 이끌고 대청을 빠져나갔다. 강정과 담창이 발버둥을 치며 소리쳤다.

"엄마!"

"나도 있을래! 왜 형아는 저기 있는데!"

사람들은 그제야 비로소 말석(末席)을 차지한 채 조용히 식사 중이던 담호의 존재를 인식했다. 담호는 어색한 표정을 지으며 말했다.

"다 먹으면 나갈게요."

사람들은 저도 모르게 부드러운 미소를 지었다.

해가 바뀌면서 훌쩍 자란 소년이었다. 이제 열세 살이었지만 하는 행동거지나 말하는 품새가 의젓한 어른처럼 느껴질 정도였다.

거기에다가 잘생긴 얼굴에 제 아비의 어깨까지 자란 키, 끊임없는 수련을 통해 만들어진 탄탄한 근육질의 몸매는 뭇 소녀들의 방심이 크게 흔들 것이 분명했다.

저녁 식사 시중을 드는 어린 시녀들이 식사 시간 내내 담호에게서 시선을 떼지 못하고 힐끗힐끗 쳐다보는 게 그 증거인 셈이었다.

"아니, 이제 너도 한 사람의 몫을 할 수 있으니 함께 듣도록 해라."

강만리가 그렇게 말하며 담우천을 돌아보았다.

"괜찮겠죠, 담 형님?"

담우천 대신 그의 찻잔에 차를 따르던 나찰염요가 먼저 대답했다.

"괜찮을 거예요. 너무 잔악한 이야기만 아니라면."

사람들은 눈을 동그랗게 뜨고 그녀를 돌아보았다.

과거, 세상에서 가장 흉포하고 악랄하며 잔인한 여자를 꼽으라면 세 손가락 안에 꼽히던 나찰염요였다. 그런 그녀가 현모양처(賢母良妻)처럼 행동하고 말하는 게 사뭇 믿기지 않은 얼굴들이었다.

"괜찮겠지."

강만리와 나찰염요가 그리 말하자 담우천도 무심한 듯 대꾸했다. 담호의 얼굴에 살짝 기뻐하는 기색이 떠올랐다. 담호는 곧장 자리에서 일어나 강만리를 향해 인사했다.

"고맙습니다, 강 숙부."

"고맙기는. 네 하는 품이 의젓하고 침착한 데다가 그간 쉬지 않고 무공을 수련하여 일취월장(日就月將) 성장한 까닭인 게다. 앞으로도 계속 정진하여 다른 형제들, 식구들을 보호하고 도와줄 힘을 기르도록 해라."

"명심하겠습니다, 강 숙부."

"흠, 그래도 너무 빠른 게 아닐까?"

다 된 밥에 재를 뿌리듯, 설벽린이 팔짱을 끼며 딴죽을 걸었다.

"저도 아호가 많이 성장했다는 걸 잘 알고 있습니다만, 그래도 아직 아는 것보다 모르는 게 더 좋을 일들이 많다고 생각합니다. 어쨌든 이제 열세 살 아닙니까? 그 나이라면 조금 더 즐겁고 행복하게 살아야 할 때가 아닐까 싶습니다만.”

“네 말도 일리가 있어. 그럼에도 불구하고 아호를 합류시킨 건, 아호의 무공이 너보다 뛰어나고 아호의 생각이 군악보다 깊기 때문이지.”

“네?”

“아니, 왜 가만히 있는 제게까지 불똥이 튀는데요?”

설벽린과 화군악이 동시에 어처구니없다는 듯이 말했다. 강만리는 침착한 얼굴로 계속해서 말을 이어 나갔다.

“며칠 전 아호와 잠시 이야기를 나눈 적이 있었다. 그때 아호는 우리가 처한 현실과 우리가 상대하고 있는 자들에 대해서 정확하게 파악하고 있더구나. 그리고 내게 조언까지 해 주었지. 꽤나 논리적이고 현실적인 조언이었지.”

강만리의 말에 사람들은 물론, 언제나 무심한 표정의 담우천마저 솔깃한 얼굴이 되었다.

“호오, 그런 적이 있었나? 그래. 강 숙부에게 뭐라고 말씀드렸느냐, 아호?”

담우천이 직접 담호에게 물었다. 담호는 부끄러운 듯 살짝 뺨을 발갛게 물들이며 말했다.

“별다른 말은 아니었어요. 그저 주변 대부분 비어 있는 장원을 보다 효과적으로 활용하는 게 어떨까 싶어서 이야기했어요."

화평장을 중심으로 하여 버드나무길 좌우로 세워진 십여 채의 크고 작은 모든 장원은, 수성(守城)을 목적으로 아란과 고굉이 사들인 화평장의 소유였다.

지금 그 장원들 모두 관리와 경비를 맡은 두어 명의 무사들이 머물고 있을 뿐, 그곳에서 사는 식솔들은 존재하지 않았다.

당시 담호는 그 부분을 지적하면서 이렇게 이야기했다.

"그 장원들을 그냥 놔두는 건 너무 아깝지 않아요? 그러니까 그 장원에 상주하는 무사들을 두고, 또 우리 화평장처럼 적을 상대할 수 있는 무기를 설치하고 함정을 파둔다면, 어느 게 진짜 우리 화평장인지 다들 헷갈리지 않을까요?"

반쯤 재미 삼아서 듣고 있던 강만리의 표정이 점점 진지해졌다. 미처 생각하지 못하고 간과했던 부분을 지금 어린 담호가 정확하게 지적하는 중이었다.

담호는 조심스러운 얼굴로 계속해서 말을 이어 나갔다.

"물론 그렇게 준비하는 데 필요한 비용이나 시간 등이 상당하다는 건, 화평장만 봐도 충분히 알 수 있어요. 그래도 한 개의 화평장이 있는 것보다 열다섯 개의 화평장이 있는 게 훨씬 수…… 수…….”

“수성 말이냐?”

“네. 훨씬 수성하기 좋지 않을까 싶어요.”

“흠.”

강만리는 잠시 생각하다가 크게 고개를 끄덕였다. 그리고는 솥뚜껑 같은 손으로 담호의 머리를 쓰다듬으며 말했다.

“좋은 생각이다. 적극적으로 반영해 보자.”

담호는 얼굴이 새빨개진 채 고개를 숙였다.

“감사합니다. 제 말을 들어 주셔서.”

“아니다. 언제든지 좋은 생각이 있으면 말하렴. 만약 내가 자리에 없으면 예예 숙모나 양 당주에게 전하렴. 내 따로 그들에게 말해 놓을 테니까.”

“알겠습니다.”

담호는 예의 바르게 말했다.

강만리가 당시의 일을 회상하며 이야기를 마쳤다. 사람들은 눈을 동그랗게 뜨고 담호를 바라보았다. 담호는 어쩔 줄 몰라 하며 고개를 푹 숙였다.

“허허허. 안 그래도 지닌 자질이 좋아서 몇 수 가르쳐 볼까 생각 중이었는데.”

만해거사가 껄껄 웃으며 말했다.

"알고 보니 생각하는 것도 남다른 바가 있었군그래. 이런, 이런. 지금이라도 늦지 않았으면 제자를 바꾸고 싶은걸?"

설벽린이 입술을 내밀며 말했다.

"굳이 바꾸실 필요가 있습니까? 제자를 한 명 더 둔다고 해서 벽찰 사부도 아니신데요."

"허허. 그런가? 그럼 아예 이참에 아호를 기명제자(記名弟子)로 삼을까?"

"아서게."

유 노대가 말렸다.

"저 아이를 노리는 사람이 얼마나 많은데. 만약 자네가 저 아이를 기명제자로 삼는다면 그들의 등쌀을 견디지 못할 게 분명하이."

"허어, 또 누가 저 아이를 탐내는데?"

"그야 야래향도 그렇고, 빙혼마고도 그렇고, 나도……."

"오호라. 자네도? 그러니까 결국 자네가 시샘이 나서 하는 말이군그래."

"허험. 무슨 소리."

두 노인이 말싸움을 벌이는 동안 담우천은 한없이 가라앉은 눈빛으로 제 큰아들, 담호를 바라보고 있었다.

물론 담우천은 담호가 하루도 쉬지 않고 무공을 수련하

고 있다는 건 잘 알고 있었다.

또한 그는 두 노인이나 화군악과 장예추, 그리고 정유들이 오가면서 한 번씩 조언을 건네고 스스로 시범을 보이는 등 담호의 수련을 돕고 있다는 것도 익히 알고 있었다.

그래서 어느새 담호의 실력이 크게 향상되어 이제는 확실히 한 사람의 무인 몫을 해내는, 그러니까 일류급 무사와 비교해도 전혀 뒤지지 않는 수준까지 이르렀다는 것도 잘 알고 있었다.

그럼에도 불구하고 담우천은 담호를 어디까지나 어린 아이라고 생각했다. 담우천의 눈에는 아직도 담호가 갓 걸음마를 익히고 아장아장 걷던, 쪼르르 달려와 무릎에 매달리던 그때의 담호로밖에 보이지 않았다.

'언제 이렇게 컸을까.'

담우천이 그렇게 내심 중얼거리고 있을 때, 화군악이 고개를 끄덕이며 입을 열었다.

"하기야 저 나이 때 아이들, 금방 자라지. 나도 저 나이 정도 때 사부를 만났고 순식간에 어른이 되었으니까. 아마 일이 년 안에 키나 체격이 우리 못지않게 될 거야. 흠, 그때가 되면 장가가겠다고 성화를 부릴지도."

"화 숙부!"

담호가 얼굴이 빨개진 채 소리쳤다. 화군악은 여전히 능글맞은 표정으로 담호를 바라보며 물었다.

"어때? 혹시 눈여겨보고 있는 아가씨라도 있나? 아, 소홍은 어떨까?"

"흠, 소홍이라면 나는 찬성이야."

설벽린이 팔짱을 끼며 동의했다.

"그 아이, 요 근래 들어 엄청나게 예뻐졌거든. 이미 십삼매보다 훨씬 아름답다는 소문이 자자해. 거기에다가 이제 말괄량이를 벗어나 요조숙녀 티도 나고 말이지."

두 숙부의 말에 담호의 얼굴이 더욱더 새빨갛게 변했다.

"아휴, 아호는 키만 컸다 뿐이지 아직 어린아이예요. 그렇게 다들 계속해서 짓궂은 농담을 하시면 엉엉 울어버릴지도 몰라요."

나찰염요의 말에 담호는 진짜 울상이 되었다.

"허허허. 그래, 인제 그만 놀리자꾸나. 이러다가 진짜 울겠다."

유 노대가 중간에 끼어들며 곧바로 화제를 돌렸다.

"그래. 북경부로 갈 생각이라고?"

2. 북해빙정(北海氷晶)

일순 예예를 비롯한 여인네들이 움찔거렸다.

몇 달 만에 드디어 한자리에 모였다. 지루할 정도로 긴 무적가, 철목가와의 싸움도 이제 겨우 한시름 놓았다.

이제 조금 서로를 보듬고 편히 쉴 수 있다 싶었는데, 또다시 헤어져야 한다는 것이다.

"그게 무슨 말이에요?"

예예가 강만리를 돌아보며 물었다.

"그래요. 그게 무슨 말이죠?"

당혜혜와 정소흔도 자신들의 남편을 돌아보며 물었다.

장예추와 화군악은 일제히 강만리를 돌아보았다. 강만리는 움찔거리며 입을 열었다.

"아, 그게 그러니까……."

"허어, 아직도 이야기하지 않았던 겐가? 그럼 내가 너무 입방정을 떤 게로군."

유 노대가 웃으며 말했다.

사실 그와 만해거사는 설벽린을 통해 낮의 회합에 대해 이야기를 들은 바 있었다. 그랬기에 자연스럽게 그쪽으로 화제를 돌린 것인데, 강만리나 다른 형제들은 미처 제 아내들에게 그런 이야기를 해 두지 않았던 게다.

"흐흠, 안 그래도 지금 이야기하려던 참이었다."

강만리는 헛기침을 하고 나서 낮에 나눴던 이야기를 다시 세세하게 설명했다. 가만히 듣고 있던 예예와 당혜혜들의 표정이 점점 진지해졌다.

"확정적인 건 아냐. 그저 우리가 강해질 방법을 찾다가 황궁무고까지 언급된 거지. 또 다른 방법이, 그보다 조금 더 쉽고 편한 게 있다면 언제든지 바꿀 수도 있어."

"하지만 지금 상황에서는 확실히 대사형의 힘을 빌리는 게 최선이겠네요."

예예가 고개를 끄덕이며 말하다가 문득 무슨 생각이 났는지 혼잣말로 중얼거렸다.

"내공만이라면 빙궁(氷宮)의 북해빙정(北海氷晶)도 괜찮을 텐데."

낮은 목소리로 중얼거린 이야기였는데 마침 화군악이 그 말을 들었는지 반색하며 입을 열었다.

"그래요, 형수. 북해빙정의 효능도 엄청나죠. 내공을 회복시킬 뿐만 아니라 증진시키고 엄중한 내상까지 치유할 수 있으니까요."

"응? 북해빙정이라는 게 그렇게 대단해?"

그렇게 묻는 장예추는 처음 들어 본다는 얼굴이었다. 화군악은 어깨를 으쓱거리며 말했다.

"이 몸이 직접 그 효능을 경험한 장본인이거든. 당시 입었던 내상을 치유했을 뿐만 아니라 모든 내공을 회복했고, 거기에다가 상당한 내공까지 얻는 효과를 봤거든. 내가 지닌 음한기공(陰寒氣功)의 본원(本原)이 바로 그 북해빙정이야."

"호오."

장예추가 놀란 표정을 지을 때, 설벽린과 아란, 그리고 고굉은 탐욕의 빛까지 일렁이는 눈빛으로 그와 예예를 번갈아 바라보았다.

북해빙정은 빙백성마검(氷白聖魔劍), 빙마수투(氷魔手套)와 더불어 북해빙궁의 세 가지 보물 중 하나로, 타원형의 거대한 알처럼 생긴 투명한 결정체였다.

주변 모든 것을 얼어붙게 할 정도의 강렬한 한기를 지녔으며, 또한 이루 말할 수 없는 공능을 지닌 북해빙정이야말로 곧 북해빙궁의 전부라고 할 수 있었다.

빙정의 수많은 공능 중에는 내공을 증진시키는 효능이나 만독불침(萬毒不侵)에 이르게 하는 효능들도 있었거니와 내상을 치유하고 잃어버린 내공을 회복하는 효능도 있었다.

"아!"

뒤늦게 생각났다는 듯이 강만리가 손바닥으로 제 무릎을 치며 소리쳤다. 사람들이 깜짝 놀라 그를 돌아보았다. 강만리는 예예를 향해 빠른 어조로 말했다.

"북해빙정에는 만독불침에 이르게 하는 효능도 있다고 들었는데, 만약 그게 사실이라면……."

"아!"

이번에는 예예가 소리쳤다.

"왜 그걸 깜빡 잊고 있었죠? 맞아요. 분명 아버님께 그리들은 기억이 있어요. 아휴! 내 정신 좀 봐. 어쩌면 북해빙정으로 석 오라버니를 완쾌시킬 수 있었을지도 모르는데."

그녀는 자책하며 말할 때였다.

"그건 모르는 일이오."

만해거사가 입을 열었다.

"빙정의 공능(功能)을 제 것으로 만들기 위해서는 무엇보다 그 참을 수 없이 차가운 빙정의 한기를 견뎌 내야 한다고 알고 있소. 설령 한기를 견뎌 낸다 할지라도 그 사람과 빙정의 궁합이 맞아야만 비로소 공능을 얻을 수 있소. 즉, 아무리 원한다고 해서 아무나 빙정의 공능을 획득할 수가 없다는 말이오."

"음…… 그건 그렇죠."

예예가 고개를 끄덕였다.

"공청석유나 대환단 같은 것들이 확실하게 내공을 증진시킨다면 빙정은 그렇지 않아요. 빙정의 공능을 얻기 위해서는 그만큼의 고통과 인연이 필요하죠. 하지만 그런 불리한 면만 있는 게 아니에요. 공청석유나 대환단보다 빙정이 훨씬 나은 점도 있거든요."

"그렇군."

강만리가 알아차렸다는 듯한 표정을 지으며 말했다.

"공청석유나 대환단은 한 사람이 복용하는 걸로 끝나지만 빙정은 몇 명이 사용해도, 몇 백 명이 사용해도 사라지지 않는다는, 그런 확실한 장점이 있군그래."

"맞아요. 우리 빙정은 영원해요."

예예는 자랑하듯 말했다.

"그러니 이곳에 있는 우리 모두 빙정의 공능을 획득하고자 시도할 수 있어요. 그리고 그중에서 절반만이라도 빙정의 공능을 얻는다면……."

"그거 정말 마음에 듭니다!"

고굉이 자리에서 벌떡 일어나며 소리쳤다.

"그 빙정의 공능을 얻는다면 저도 무림의 고수가 될 수 있다는 거잖습니까? 당장 가죠!"

그는 당장이라도 북해로 출발할 것처럼 흥분했다. 옆자리의 아란이 가볍게 눈살을 찌푸리며 그를 말렸다.

"너무 흥분하면 추하게 보여요. 체통을 지키세요."

"어? 내가 너무 흥분한 것 같소?"

고굉은 순순히 수긍하며 자리에 앉았다. 하지만 아직도 흥분이 가라앉지 않은 듯 그의 얼굴은 여전히 붉게 달아올라 있었다.

고굉이 한바탕 고함을 지른 까닭일까. 갑자기 장내 분위기가 가라앉았다. 누구 하나 입을 열지 않고 상념에 젖었다. 다들 북해빙궁의 빙정이 지닌 효능에 대해서 생각하고 있는 모양이었다.

예예가 사람들의 눈치를 살피며 조심스레 입을 열었다.

"어차피 북해를 가려면 북경부를 경유해서 가야 하잖아요? 그러니 가는 길에 잠시 황궁에 들러 대사형께 부탁, 황궁무고를 여는 거예요. 그리고 북해로 가는 거죠."

가만히 듣고 있던 강만리가 불쑥 물었다.

"아예 이참에 아이들과 부인들은 잠시 동안 그곳에 머무르는 게 어떻소?"

일순 여인들의 눈이 휘둥그레졌다. 그녀들이 되묻기 전에 강만리가 빠른 어조로 말했다.

"실은 예전부터 우리의 거처를 보다 안전하고 은밀한 곳으로 옮겨야 하지 않을까 생각하고 있었소. 사천당문이나 십만대산이나 동정호 외딴 섬 등 이곳저곳 생각을 해 보았지만 북해빙궁은 미처 떠올리지 못했다오."

듣고 있던 사람들의 표정이 진지해졌다.

"사실 빙장(聘丈)이나 빙모(聘母)께 부담을 주게 되는 일이기는 하오."

"부모님들은 외려 더 좋아하실 거예요. 우리 아정도 본 지 오래되었고요."

강만리의 말에 예예가 재빨리 대꾸했다.

"그렇기는 하오."

강만리는 고개를 끄덕이며 계속해서 말을 이어 나갔다.

"정극신이 죽고 무적가의 본산이 반쯤 괴멸된 이 시점

에서 아마도 오대가문의 대대적인 공세가 시작될 것이오. 그 공세를 막으려면 아호가 제안했던 방법보다 적어도 열 배는 더 많은 인원과 자금과 시간이 필요할 것이오."

강만리의 입에서 자신의 이름이 흘러나오자 담호는 살짝 얼굴을 붉히며 고개를 숙였다. 그 와중에도 강만리의 말은 계속해서 이어졌다.

"반면 북해빙궁이라면 그 절반의 돈과 절반의 인원만으로도 어느 정도 수성이 가능할 것이오."

팔짱을 낀 채 묵묵히 듣고 있던 헌원중광이 강만리의 말을 받았다.

"만약 이곳에 설치된 모든 암기와 기물들까지 송두리째 가져간다면 돈이나 시간이 훨씬 더 적게 소요될 게야."

"저는 찬성이에요."

예예가 다른 사람들을 둘러보며 이야기하자, 강만리가 머리를 긁적이며 말했다.

"아무래도 너무 갑작스러운 제안이라 다들 생각이 많을 것이오. 그러니 내일 아침 다시 이야기하기로 합시다. 그때까지 모두 생각을 정리해서 결론을 지읍시다. 이런 이야기는 최대한 빨리 결정하는 게 최선이니까."

그것으로 이날의 회합은 끝이 났다. 사람들은 자리를 파하고 각자 처소로 돌아갔다.

"어떻게 생각해?"

청풍각으로 향하는 도중 화군악이 정소흔에게 물었다. 정소흔은 진지한 얼굴로 물었다.

"북해는 엄청 춥겠죠?"

몇 년 전 북해에 가 본 적이 있는 화군악은 어깨를 으쓱거리며 대답했다.

"춥지. 한여름을 제외하고는 쌓인 눈이 녹지 않을 정도로 추워. 물론 한여름도 이곳의 늦가을 날씨라 옷을 단단히 챙겨 입지 않으면 안 되지."

"우리야 괜찮지만…… 아군이 그 추위를 견딜 수 있을까요?"

"견디겠지. 북해에도 사람이 살고, 어린 애들도 있으니까. 그 아이들은 한겨울에도 밖에 나가 눈싸움을 하거나 눈사람을 만들며 놀아. 아, 물론 손발이 트고 가뭄 때의 논밭처럼 쩍쩍 갈라져서 피투성이가 되기는 하지만, 그래도 아픈 거 모른 채 씩씩하게 뛰놀지."

화군악의 말에 정소흔의 얼굴은 이내 울상이 되었다. 화군악은 싱긋 웃으며 그녀의 어깨를 다독거려 주었다.

"너무 걱정하지 마. 나도 그렇게 자랐어. 북풍한설 휘몰아치는 한겨울에 입을 게 없어서 넝마만 두르고도 몇 년을 살았는데. 그래도 이렇게 튼튼하잖아?"

"으음."

정소흔은 무당파 장문인의 고귀한 딸이었다. 지금껏 부족하거나 모자란 것 없이, 나름대로 풍족하게 살아온 그녀였다.

지금껏 화군악에게서 이런 이야기를 들을 때마다 사실 그녀는 '그럴 수도 있지, 뭐' 하는 식으로 대수롭지 않게 생각했다.

하지만 자신의 어린 딸이 저 북해에서 살갗이 트고 갈라진 채 뛰노는 모습을 상상하니 절로 가슴이 아프고 심장이 옥죄어 왔다.

"좋게 생각하자고. 아군이 게서 북해빙정의 공능을 얻게 될 수도 있어. 하다못해 빙공(氷功)은 확실히 익힐 수 있지. 거기에다가 당신의 무당파 무공과 내 무공까지 익힌다면…… 십 년 후 강호는 저 전설의 검후(劍后)에 비견되는 여협(女俠)을 보게 될 거야."

"휴우."

화군악의 장밋빛 이야기에 정소흔은 나지막하게 한숨을 쉰 다음 차분한 어조로 말했다.

"나는 우리 아군이 행복하기를 바랄 뿐이에요. 굳이 무공을 익히지 않더라도, 강호에 그 이름을 떨치지 않더라도 상관없어요. 그저 평범하게 자라서 평범하게 혼인을 하고, 평범하게 자식들을 낳아 기르다가 평범하게 죽기를 바라요. 우리가 갖지 못했던 그런 행복을 주고 싶어요."

"음? 그건 무당파의 여걸(女傑)이 할 말은 아닌 것 같은데?"

화군악의 표정도 진지해졌다.

"아니, 그것보다…… 지금 당신은 행복하지 않아?"

정소흔이 움찔거렸다.

"아뇨. 그런 뜻이 아니라……."

"아, 물론 겁이 나고 두렵겠지. 초조하고 불안도 하겠지. 언제 오대가문이 쳐들어올지 모르고 또 언제 어떻게 죽을지도 모르는 상황이니까."

"그런 게……."

"그렇지만 그런 건 우리 무림인들의 숙명(宿命)이잖아? 애당초 무공을 배웠을 때부터, 그 무공으로 다른 사람들을 죽일 때부터, 우리 역시 언제 어떻게 죽을지 모르게 된 거잖아? 아, 뭐라고 해야 하지?"

화군악은 잠시 걸음을 멈추고 생각을 정리한 후 다시 입을 열었다.

"그래, 당신 말도 옳아. 나나 당신이 무림인인 이상 그 숙명에서 벗어날 수가 없지만, 아직 아군은 무림인이 아니니까. 하지만 무림인이 아니라고 해서 저들이 아군을 가만 놔둘 것 같아? 후환(後患)이 될지도 모르는 적의 자식을 살려 줄 정도로 오대가문이 자애롭고 인정이 넘쳐흐를까?"

화군악은 아내의 대답을 기다리지 않았다.

"아니지. 자식은 물론, 우리들의 삼족(三族)까지 몰살시키려 들게 분명해. 그런데도 아군이 무공을 익히지 않고 여염집 처자처럼 평범하게 살기를 바라?"

순간 정소흔이 휘청거렸다.

화군악은 황급히 그녀를 부축했다. 겨우 버티고 선 정소흔의 안색은 새파랗게 질려 있었다. 화군악은 그녀를 다독이듯 말을 계속했다.

"물론 나도 아군의 행복을 바라거든. 당연하지. 내 딸인데, 누구보다 더 행복하고 즐겁고 평화롭게 살아가기를 원하지. 만약 아군을 울리는 녀석이 있다면 반드시 반쯤 죽여 놓을 작정이야."

화군악은 마치 그런 놈이 눈앞에 있는 것처럼 주먹을 불끈 쥐더니, 다시 차분한 어조로 말을 이어 나갔다.

"하지만 그건 그거고, 이건 이거야. 우리는 무림인이고, 아군은 무림인의 딸이야. 무림인의 딸이 행복하고 즐겁고 평화롭게 살기 위해서는 반드시 무공이 필요한 거야. 강하면 강할수록 좋은 무공이 말이야."

화군악은 게서 잠시 말을 끊었다가 이어 나갔다.

"그게 무림인을 부모로 둔, 거기에다가 오대가문과 척을 진 아비를 둔 아군의 숙명인 거지."

정소흔은 입술을 깨물었다. 한동안 아무 말도 하지 않

던 그녀는 이윽고 힘겹게 고개를 끄덕이며 말했다.

"그래요. 북해빙궁으로 가요."

화군악은 가만히 자신의 아내를 바라보다가 그녀조차 들리지 않을 정도의 희미한 목소리로 중얼거렸다.

"그래, 미안해. 모두 내 탓이야."

3. 무림오적의 주인

다른 이들이 모두 떠난 위정전의 대청에는 강만리와 예예만이 마주 앉아 차를 마시고 있었다. 사실 이럴 때는 차보다 술이 어울렸지만, 따로 늙은 하인이나 시녀를 불러서 술을 내오라고 하는 게 귀찮았던 것이다.

"괜찮겠어?"

강만리가 문득 입을 열었다. 예예가 눈을 동그랗게 뜨며 그를 쳐다보았다.

"우리 모두가 몰려가도 말이야."

"아, 그거요."

예예가 웃었다.

"당연히 괜찮죠. 북해는 넓거든요."

"그것도 그거지만, 우리가 몰려간다는 건 우리가 짊어지고 있는 모든 것들까지 함께 가지고 간다는 거잖아. 가령 오대가문과의…….”

“괜찮을 거예요.”

예예는 여전히 미소를 지은 채 말했다.

“아버님은 예전부터 오대가문을 탐탁지 않게 여겼거든요. 강호무림은 무림인들이 알아서 하도록 놔둬야지, 태극천맹이니 뭐니 하는 거대 단체를 만들어서 규제하려고 하는 건 전혀 옳지 않은 일이라고 말이에요.”

“흠, 장인께서 그리 생각하셨군그래.”

“그러니 먼저 일어나 그들과 싸우지는 않더라도 걸려온 싸움을 두려워하시지는 않을 거예요. 그리고 무엇보다 북해는 넓거든요. 우리가 마음먹고 숨으면 아무리 오대가문이라고 하더라도 쉽게 우리를 찾지 못할 거예요.”

“그럼 차라리 장인께 폐를 끼치느니, 북해 어딘가에 우리가 따로 은신할 거처를 만드는 게 낫지 않을까?”

“그것도 괜찮은 방법이기는 하죠. 하지만 은신처를 만드는 것 역시 아버님의 도움을 받아야 하는데…… 과연 아버님이 우리가 빙궁을 놔두고 다른 은신처에서 살아가는 걸 용납하실지 모르겠어요.”

“흠. 그래. 그건 너무 앞선 생각 같다. 너무 먼 미래에 대한 계획은 망상(妄想)이나 다를 바가 없으니까. 우선은 다른 이들의 결정을 확인한 후 그에 따라서 하나씩 계획하는 게 옳을 테니까.”

"그래요. 너무 성급하게 생각하지 마세요. 사실 북해빙궁 이야기도 조금 전에 나온 거잖아요?"

"그렇지. 음, 나이가 들었는지 점점 초조하고 다급해지네."

"당연하죠. 당신 어깨에 우리 가족 수십 명, 수백 명의 목숨이 매달려 있으니까요."

예예는 자리에서 일어나 강만리의 등 뒤로 돌아갔다. 그리고는 부드럽고 따스하게 그를 껴안으며 소곤거렸다.

"너무 걱정하지 말아요. 당신 어깨에 매달린 목숨들은 당신의 짐이 아니라, 당신에게 힘이 되고 힘을 주는 존재들이니까요. 그러니 혼자라는 생각은 하지 말아요. 무엇보다 당신 곁에는 제가 있으니까요."

"으음."

강만리는 헛기침을 했다. 사실 '고맙다'라고 말하려 했지만 쉽게 입이 떨어지지 않은 것이다.

예예는 그런 강만리의 속내를 알아차렸는지 빙긋 웃으며 그의 뺨에 쪽! 소리 나게 입을 맞췄다. 강만리가 슬쩍 예예 쪽으로 고개를 돌렸다.

예예의 부드럽고 달콤한 입술이 강만리의 두꺼운 입술 위로 내려앉았다.

강만리의 입이 열렸다. 그 안으로 예예의 딸기 같은 속살이 비집고 들어왔다. 이내 그 속살은 뱀처럼 꿈틀거리며 강만리의 입안에서 뒹굴기 시작했다.
그때였다.
문밖에서 소리가 들려왔다.
"강 장주는 안에 계십니까?"
양위의 음성이었다.
예예와 강만리는 깜짝 놀라 서로 떨어졌다. 양위가 대청 문을 열고 들어섰을 때는 어느새 예예가 제자리로 돌아와 얌전하게 차를 마시고 있었다.
양위는 그들 사이로 흐르는 어색한 공기를 읽지 못한 듯 서둘러 강만리에게로 다가가 허리를 숙였다.
"손님이 찾아오셨습니다."
강만리가 인상을 찡그렸다.
"이 시각에?"
"네."
"누군데? 내일 오라고 하면 안 되는 사람이오?"
"그게……."
양위는 저도 모르게 힐끗 예예를 바라보며 입을 열었다.
"십삼매와 소홍 아가씨가 오셨습니다."
양위의 말을 듣자마자 예예의 입에서는 소리 없는 한숨이 새어 나왔다. 그리고 동시에 강만리는 땅이 꺼져라 깊은 한숨을 토했다.

"이런."

강만리는 한숨을 쉬며 물었다.

"왜 왔느냐고는?"

양위는 당연하다는 듯이 대답했다.

"강 장주를 뵈러 왔다고만 하셨습니다."

"으음."

강만리는 예예를 돌아보았다. 어느새 예예는 예의 그 아름다운 얼굴에 미소를 가득 담은 채 입을 열었다.

"들어오시라고 해요."

양위는 힐끗 강만리를 보고는 허리를 숙이며 대답했다.

"그리하겠습니다, 공주."

양위는 북해빙궁 시절처럼 아직도 예예를 가리켜 공주라고 불렀다. 예예는 이곳이 빙궁도 아닌 데다가 이미 강만리의 아내가 되었으니 따로 호칭을 정해 불러 달라고 했지만 의외로 양위는 그 부분에서 상당한 고집을 부렸다.

"죄송합니다만 아가씨는 제게 있어서 영원한 공주이십니다."

예예는 그렇게 낯간지러운 말을 당당하게 이야기하는

양위에게 더 이상 뭐라 말할 수가 없었다. 강만리도 옆에서 양위 편을 들었다.

"남자가 저렇게까지 말하면 그 고집은 꺾는 게 아니야."

예예는 어쩔 도리가 없었고, 결국 양위는 지금껏 그녀를 공주라고 호칭했다.

양위가 십삼매와 소홍을 안내하기 위해 대청을 빠져나간 후, 강만리는 두 손으로 머리를 감싸 안으며 중얼거렸다.

"도대체 왜 온 거지?"

"왜 왔겠어요?"

예예가 당연하다는 듯이 말했다.

"당신 보려고 왔겠죠."

"그런 소리 하지 좀 마. 나도 그녀 만나는 게 싫거든."

"농담이에요."

"농담이라도 그런 말은 하지 마."

"하지만 그녀가 온 이유가 뭔지는 대충 짐작해요."

"뭔데?"

"하나는 무적가와 철목가를 물리친 것에 대해 칭찬이나 덕담을 늘어놓기 위해서죠. 어쨌든 그녀는 무림오적의 계획을 만든 장본인이고, 그 무림오적의 주인이니까요."

"말도 안 된다. 누가 그녀를 주인으로 생각하는데?"

"누구기는 누구겠어요? 그녀와 그녀의 동료들, 그리고 사마외도의 효웅거마(梟雄巨魔)들이겠죠. 그들은 십삼매가 무림오적을 만들겠다고 한 계획에 찬동했고, 또 그 계획이 제대로 진행될 수 있도록 많은 도움을 주었으니까요. 그러니 무림오적의 주인을 십삼매라고 생각하는 것도 당연하겠죠."

"으음."

확실히 그럴 것이다.

사마외도의 효웅거마들은 애당초 무림오적이라는 존재에 큰 관심을 가지지 않았다. 그저 십삼매가 그 무림오적을 이용하여 오대가문과 싸우는데 선봉(先鋒) 역할만 하더라도 충분하다고 생각했다.

사냥개, 혹은 충견. 딱 그 정도가 무림오적에 대한 그들의 평가였으니, 십삼매가 그 사냥개들의 주인이 되는 건 너무나도 당연했다.

'정말 자존심 상하는 이야기라니까.'

강만리는 내심 그렇게 투덜거리고는 팔짱을 끼며 몸을 뒤로 젖혔다.

"그럼 두 번째 이유는?"

예예는 고민할 것도 없다는 듯이 빠르게 대답했다.

"위천옥이라는 자에 대해서요."

"위천옥?"

강만리의 눈빛이 반짝였다. 예예가 살짝 목소리를 낮추며 말을 이었다.

"위천옥이 이곳 성도부에 도착하자마자 만난 사람은 십삼매가 아니라 허 노야예요. 그게 무슨 뜻인지 아시겠어요?"

"아!"

강만리는 무릎을 치며 말했다.

"그렇군. 황계와 십삼매가 우리를 키웠다면, 위천옥은 유령교와 허 노야가 키운 거야. 그렇다면 십삼매에게 있어서 위천옥이라는 존재가 달갑지만은 않을 수도 있겠군."

"그럴 거예요. 무엇보다 위천옥이 너무 강해졌으니까요."

예예는 어깨를 으쓱거리며 말을 이어 나갔다.

"십삼매는 성격상 자신이 모든 일을 제어하고 주도해야 직성이 풀려요. 자신의 예측 범위를 벗어나서 독불장군처럼 홀로 이리저리 날뛰는 자를 싫어하죠. 당신처럼 말이에요."

"허험, 왜 또 내 이야기가 나오는데?"

"아니, 사실이에요. 십삼매가 몇 번이고 당신을 찾아오는 이유가 바로 그것 때문이거든요. 당신이 그녀의 고삐를 벗어나려고 할 때마다 당근과 채찍을 사용하여 자신이 원하는 길을 따라 계속 달리게끔 하려고요."

"으음."

강만리는 입술을 깨물었다.

예예의 말은 그럴듯했다. 그리고 무엇보다 강만리 또한 평소 그런 생각을 하고 있었다.

수년 전 실수로 성도부 지부대인의 구촌 당질(堂姪)을 죽인 까닭에 관부에서 쫓겨난 후, 그는 우연히 성도부에서 일어난 살인사건을 해결하는 것으로 다시 명성을 얻게 되었다.

또 그 여파로 정유와 교우를 나누게 되었고, 오대가문 중 하나인 천왕가와 척을 지게 되었다.

그래서 강만리가 관부의 무술이 아닌, 진정한 무공이 필요할 즈음 십삼매가 갑자기 그의 앞에 나타나 열세 가지의 무공이 적혀 있는 경천십삼무결록(驚天十三武訣錄)을 건넸다.

황궁 연쇄살인사건을 조사할 때도 그랬다. 내상을 입은 강만리에게 태양빙옥수라는 희대의 영약을 먹인 것도 그녀였다.

그리고 무적가의 가주 제갈보국과 그의 아들 제갈원을 살해할 때도 그녀는 그 계획을 주관하고 심지어 그곳에 직접 모습을 드러내기도 했다.

당연히 강만리는 자신이 직접 계획을 세우고 그 계획대로 모든 걸 진행한 게 아니라 정작 십삼매의 고삐에 따라서 이리 달리고 저리 달렸던 게 아닐까, 하는 의문을 품을 수밖에 없었다.

그래서 이번 무적가와 철목가를 상대로 싸울 때는 처음부터 끝까지 십삼매를 완전히 배제했다.

모든 계획은 혼자 세웠고 십삼매에게는 그저 유령교와 황계의 고수들만 빌렸다. 십삼매가 은근슬쩍 물어올 때도 강만리는 꾹 입을 다문 채, "그저 임자는 내게 사람만 빌려주면 되네."라고만 했다.

그게 탐탁지 않아서, 자신의 고삐를 벗어나고 있다고 생각해서 다시 고삐를 움켜쥐려고 찾아온 것이라면…….

'나를 너무 쉽게 보는데?'

강만리는 입술을 깨물었다. 예예는 그런 강만리의 표정을 살피다가 조심스레 입을 열었다.

"어쨌든 십삼매는 위천옥이 마음에 들지 않을 거예요. 물론 서로 협력 관계인 것만은 확실하지만 제 뜻대로 제어할 수 없다면…… 그 불확실함을 도저히 참을 수가 없을 테니까요. 아마도 그래서 십삼매는 오늘 그 위천옥에 대해서 이야기할 게 분명해요."

가만히 듣고 있던 강만리가 문득 고개를 갸웃거렸다.

'어라? 내 마누라는 어떻게 그렇게 십삼매의 성격에 대

해서 잘 알고 있지?'

일순 가슴 서늘한 생각이 한 줄기 섬전처럼 그의 뇌리를 스치고 지나갔다.

'설마 서로 비슷한 성격이라서?'

그때였다.

대청 문밖에서 양위의 목소리가 들려왔다.

"십삼매와 소홍을 모셨습니다."

강만리는 상념을 지우고 대답했다.

"어서 안으로 모시도록 하오."

기다렸다는 듯이 문이 열리고 두 명의 아름다운 여인이 대청에 들어섰다.

4장.

예예와 십삼매

수년 전 그녀는 깜찍하게도 아무것도 입지 않은 맨몸으로
강만리의 이불 속에 숨어서 그를 기다린 적이 있었다.
강만리를 아빠로 삼지 못한다면
아예 자신의 남편으로 삼겠다는 어린 소녀 특유의 상상력에서 비롯된
행동이었다.

예예와 십삼매

1. 화평장의 안주인

십여 년 전, 십삼매가 제안하고 황계와 공적십이마 등 사마외도의 태두(泰斗)들이 합의하여 결정한, 이른바 '무림오적'이라는 계획은 먼 미래를 지향하고 진행되었다.

불확실하고 확정 지을 수 없는 아주 먼 미래의 일은 어쩔 수 없이 가변적(可變的)일 수밖에 없다.

아무리 예측을 해서 수십 년 후의 미래에 대한 계획을 세운다고 하더라도, 그 계획대로 수십 년 동안 제대로 일이 진행될 리가 없다.

예측 불가하고 돌발적인 상황들이 쉴 새 없이 터지고 흘러나와서, 수정하고 바꾸다가 결국에는 그 계획이 엉망이 되고 말 것이다.

그래서 그 먼 미래에 대한 계획은 결국 상상일 뿐이고, 망상(妄想)에 불과하다 할 수 있었다.

하지만 그 미래라는 것을 수십 년이 아니라 십 년 안쪽으로, 아니 이삼 년, 일이 년 정도로 산정한다면, 그때도 과연 그 계획이라는 것이 상상과 망상의 산물(產物)에 불과할까.

일이 년 정도의 미래에 대해 예측하고 그에 맞춰 계획을 세운다면 어느 누가 그 계획을 두고 상상이나 망상이라고 비웃을 수 있을까.

만약 그 일이 년 후의 미래에 대한 계획이 상상이나 망상이 아니라면 사오 년은 어떨까. 십여 년은 어떨까. 그리고 이십여 년은 또 어떨까.

너무 먼 미래가 불확실하고 가변적이라면, 그래서 가까운 미래에 대한 계획만이 제대로 된 계획이라 할 수 있다면 이제 그 먼 미래와 가까운 미래의 경계선은 과연 어떻게 구분해야 할까.

그리고 상상 혹은 망상과 차근차근 세워진 계획의 차이는 어디에서 비롯되는 것일까.

또 그렇다면 수십 년 전 정사대전이 끝나고 황계와 공적십이마들이 세웠던 천번지복(天飜地覆)의 계획은 과연 망상의 산물이라 할 수 있을까, 아니면 수없이 가변하는 미래를 정확하게 예측하고 거기에 맞춰 세밀하게 짠 계획이라고 할 수 있을까.

다시 돌아와서 십삼매의 '무림오적'이라는 것 역시 그녀의 헛된 상상에서 시작된 불량품일까. 아니면 그녀가 거미줄처럼 완벽하고 치밀하게 짠 계획대로 아무런 문제없이 제대로 진행되고 있는 것일까.

* * *

"축하해요."

그렇게 말하는 십삼매는 언제나 그랬듯이 아름답고 우아했다.

한 살 한 살 나이를 먹을수록 그녀의 미모는 더욱 빛을 발했으며 그녀의 매력은 농후해졌으며 그녀의 몸매는 더욱더 매혹스러워졌다. 완숙(完熟)이라는 단어가 절로 떠올랐다.

"무적가와 철목가에게 큰 타격을 입히리라고는 예상했지만, 그래도 정극신까지 죽일 거라고는 미처 생각하지 못했어요. 정말 대단한 성과를 올렸어요."

강만리는 십삼매의 이야기를 들으면서 힐끗 소홍을 바라보았다. 언제나 쾌활하고 발랄하던 그녀가 오늘은 뭔가 고민이 있는 것처럼 왠지 낯이 그리 밝아 보이지 않았다.

"물론 이번 일에 유령교나 황계의 피해가 적지 않았어요. 특히 무적가 본산을 기습했던 인원들 중 절반 가까운 이들이 목숨을 잃은 건 결국 우리가 상당한 적자를 본 셈이에요."

십삼매의 말은 이야기에서 끝나지 않는다. 그녀는 말을 하는 동안 수십 가지의 표정을 지으며 그 이야기를 극대화하는 재주가 있었다.

놀랍게도 그녀의 이야기를 듣는 상대방은 그녀가 울상을 지으면 따라 눈물을 흘리고, 그녀가 눈살을 찌푸리면 자신도 크게 한숨을 쉬며 인상을 찡그리며, 또 그녀가 미소를 머금으면 홀린 듯이 함박웃음을 지었다.

그러나 강만리와 예예는 꽤 오랫동안 십삼매와 대화를 나누었고, 그런 까닭인지 그녀의 능수능란한 표정의 변화에 맞춰 일희일비(一喜一悲)하지는 않았다.

십삼매가 잠시 말을 멈추고 그들의 얼굴을 돌아보더니 길게 한숨을 내쉬며 두 손을 치켜들었다.

"졌어요. 이제는 내가 무슨 말을 해도 별다른 반응이 없네요."

잠자코 듣고 있던 강만리가 그제야 입을 열었다.

"할 말은 다 한 건가?"

"벌써 축객령을 내리시려고요?"

"밤이 늦었으니까."

"꽤 오래간만에 만났는데요? 회포도 풀지 못한 데다가 무엇보다 이것저것 나눈 이야기도 아직 많단 말이에요."

"그럼 얼른 회포도 풀고 이야기도 해. 나는 어젯밤 늦도록 현장에서 싸우느라 피곤하거든."

"칫."

십삼매가 입술을 내밀며 투덜거렸다.

"저도 어제 밤늦게까지 현장에 있었거든요. 오라버니와는 달리 화재 현장이기는 했지만요."

강만리는 오전에 자신을 찾아왔던 학여춘이 떠올랐다. 확실히 학여춘은 십삼매와 황계 무인들의 도움으로 하마터면 성도부 전역으로 번질 뻔한 불길을 잡았다고 말했다.

"흠, 그건 고마운 일이군."

강만리가 무뚝뚝하게 말했다.

"하지만 그건 유령교와 철목가의 다툼으로 인해 벌어진 화재였으니 애당초 나와는 상관없는 일이지."

"그럼 영화객잔의 불길은요?"

십삼매의 물음에 강만리는 저도 모르게 움찔거렸다.

영화객잔은 정극신을 비롯한 철목가 정예들이 묵던 객잔이었다. 강만리 일행은 정극신을 기습하기 위해 불을 질렀고, 미처 그 불이 꺼지는 걸 확인할 틈도 없이 황급히 객잔을 벗어나야만 했다.

강만리는 헛기침을 하며 입을 열었다.

"허험. 애당초 불길이 다른 곳으로 번지지 않도록 미리 계획을 세워서 일으킨 화재였다. 그러니……."

"하지만 바람이 바뀌었다고요."

십삼매는 여전히 오빠에게 투정을 부리는 여동생처럼 종알거렸다.

"줄곧 불던 북풍이 변덕을 일으키는 바람에 불길이 사방으로 흩어졌다고요. 만약 우리가 늦게 도착했더라면 아마도 성도부 남쪽은 전부 불바다가 되었을 거예요."

"하지만 학 추관의 말을 빌리자면 영화객잔의 불길은 오롯하게 자기네들이 잡았다고 하던데."

강만리의 말에 십삼매의 눈이 동그랗게 변했다.

"학 추관께서 벌써 왔다 가셨어요?"

"그래. 아침부터 와서 한 사발 엄포를 놓고 갔다. 이번 화재의 책임이 무림인들에게 있다고, 황계나 나나 충분한 보상금을 준비하라고 말이지."

"에에, 보상금을 왜 우리에게 달라고 그래요? 허 노야에게 요구해야 하는 게 정상인데."

"학 추관도 허 노야의 진실한 신분을 모르니까."

"그러니까요."

십삼매는 가볍게 눈살을 찌푸리며 투덜거렸다.

"우리처럼 착하고 좋은 사람은 늘 덤터기를 쓰게 된다

니까요. 허 노야같이 능글맞고 속이 시커먼 사람들은 항상 능구렁이처럼 빠져나가기만 하고요. 정말 세상, 하나도 공평한 게 없어요."

"우리처럼 착하고 좋은 사람이라니? 물론 나나 내 아내는 확실히 착하고 좋은 사람이지."

강만리는 일부러 '내 아내'라는 말에 힘을 주었다. 십삼매는 생글거리며 그의 이야기를 들었다.

"하지만 임자는 전혀 아니지."

"왜요?"

"우선 내게 거짓말을 한 것부터 그래. 영화객잔의 불을 임자네들이 진화했다고?"

"농담이었어요."

십삼매는 살짝 혀끝을 내밀며 웃었다. 이십대 중반이 넘은 처자가 하기에는 손발이 오그라드는 행동이었지만, 의외로 십삼매는 귀엽고 청순해 보이기까지 했다.

"됐고."

강만리는 여전히 무뚝뚝한 어조로 물었다.

"그럼 이야기는 다 끝난 건가?"

"아뇨. 아직도 많은데요."

십삼매는 개구쟁이 소년처럼 웃으며 말했다.

"이야기가 나왔으니까 말인데요. 허 노야의 손자라는 아이가 성도부에 왔더라고요. 이름이 위천옥이던가……

아마 그럴 거예요."

'왔구나.'

강만리는 속으로 침을 꿀꺽 삼켰다. 조금 전 예예가 말했던, 십삼매가 굳이 이 시각에 이곳을 방문한 이유 중 하나가 지금 그녀의 입에서 흘러나오고 있었다.

'음?'

십삼매의 이야기에 집중하려던 강만리는 문득 그녀 곁에 앉아 있던 소홍의 얼굴에 시선이 갔다.

조금 전과는 달리 이제는 창백해 보이기까지 한 얼굴. 어쩌면 두려워하는 듯한, 혹은 무언가에 겁을 먹은 듯한, 심지어 공포에 질린 듯한 얼굴.

평소 유쾌하고 발랄하기만 하던 소홍의 모습을 떠올린다면 도저히 상상조차 하기 힘든 얼굴이었다.

'무슨 일이 있는 걸까?'

강만리가 그런 생각을 할 때 십삼매가 다시 입을 열었다. 강만리는 퍼뜩 상념에서 깨어나 그녀의 목소리에 귀를 기울였다.

"물론 친손자는 아니에요. 정확하게 말하자면 허 노야의 손자가 아니라 유령신마 어르신의 손자이니까요."

"아!"

"음."

예예와 강만리는 동시에 입 밖으로 소리를 흘려냈다.

그들이 전혀 알지 못했던 위천옥의 진정한 신분이 지금 십삼매의 입을 통해 밝혀졌던 것이다.

"어머나, 놀랐어요?"

십삼매는 손으로 입을 가리며 말했다.

"그 정도는 이미 알고 있을 거라고 생각했는데. 생각보다 무림오적, 아니 연풍회의 정보망이 대단하지 않은가 보네요."

강만리는 눈살을 찌푸렸다.

연풍회는 그저 철목가의 이목을 속이기 위해 만든 임시 조직, 그걸 가지고 이렇게 비웃는 그녀가 영 못마땅한 게다.

"아휴, 그저 농담 한번 한 거 가지고 그렇게 노려보면 무섭잖아요? 안 그래요, 올케?"

십삼매가 갑자기 예예를 돌아보며 물었다. 예예는 당황하지 않고 침착하게 미소를 지으며 대답했다.

"네, 대고자(大姑子:손윗 시누이)."

십삼매가 움찔했다.

이렇게 예예가 당당하게 그녀에게 대고자라고 칭한 건 이번이 처음이었다.

언제나 십삼매 앞에서는 위축이 되거나 혹은 성난 고양이처럼 표독스러운 표정을 짓던 예예였지 않은가. 그만큼 스스로의 위치와 신분에 자신감이 생겼다는 뜻이리라.

또 더는 그녀의 남편인 강만리가 십삼매에게 휘둘리지 않을 거라는 확고한 믿음이 생긴 까닭일 수도 있었다. 그리고 또 어쩌면 이제 이 화평장의 진정한 안주인만이 갖는 품격과 여유를 보여 주는 것일 수도 있었다.

2. 숨겨 주세요

십삼매는 가만히 예예의 웃는 모습을 지켜보다가 다시 고개를 돌려 강만리를 바라보며 말했다.

"어쨌든 유령교와 허 노야가 애지중지 지극정성을 다해 키운 아이거든요."

강만리는 방심하지 않고 그녀의 이야기를 들었다. 지금 말하는 내용이나 표정을 보건대 십삼매는 강만리들이 위천옥과 일면식이 있다는 걸 전혀 알지 못하는 것 같았다.

'하지만 아직 확신하지는 말자. 그녀는 별의별 걸 다 속이려 드니까.'

강만리는 자신에게 내심 그렇게 단단히 경고했다. 그 와중에도 십삼매의 말은 계속해서 이어지고 있었다.

"그가 아주 어렸을 적부터 어르신들께서 직접 가르침을 주기도 했고, 또 온갖 영약을 구해다가 복용케 하며 키웠다는군요."

십삼매가 말하는 어르신들이란 결국 공적십이마, 이제는 공적오마로 불리는 사마외도의 거두들이었다.

혈천노군이나 유령신마 같은 거마들은 사마외도의 부흥을 위해 불철주야 대륙을 암행(暗行)하는 와중에 잠깐씩 시간을 내서 위천옥에게 무공을 전수했고, 또 암행하는 와중에 얻거나 찾거나 빼앗은 영약들을 챙겨 그에게 먹이기도 했다.

그렇게 십여 년의 세월이 지난 지금에 이르러서 위천옥은 그 거마들조차 쉽게 승리를 장담할 수 없는 괴물이 되었고, 심지어 후견인이라 할 수 있는 허 노야를 자신의 종처럼 부리는 고약한 인물로 성장했다.

"뭐, 물론 그가 우리 편이라는 건 확실하니까 강하면 강할수록 좋은 건 사실이에요. 하지만 문제가…… 그 아이가 너무 오만불손하고 방약무인(傍若無人)하다는 거랍니다."

십삼매가 콧잔등을 찌푸리며 말을 맺었다. 그리고는 일부러 크게 한숨을 쉬면서 고개를 설레설레 흔들었다. 궁금해진 강만리가 뭔가 묻기를 기다리는 듯한 행동이었다.

하지만 강만리는 꿈쩍하지 않았다.

위천옥이 누구보다도 오만불손하고 방약무인하다는 건 이미 설벽린 등을 통해서 익히 알고 있는 사실이었다. 또 그가 괴물처럼 강하다는 것 역시 이미 들어 알고 있었다.

그러니 강만리가 굳이 위천옥에 대해서 십삼매에게 물어볼 건 아무것도 없었다.

십삼매는 가만히 강만리와 예예의 표정을 살피더니 뭔가 깨달은 바가 있는 듯, 한 차례 어깨를 으쓱거리고는 한숨을 내쉬었다. 조금 전의 과장된 한숨과는 전혀 다른 의미의 한숨이었다.

"이미 알고들 있었군요."

그녀는 차분한 어조로 말했다.

"알고 보니 연풍회의 정보망, 생각보다 만만치 않네요. 위천옥에 관해서까지 이미 다 파악하고 있다니 말이에요."

십삼매는 농담인지 진심인지 모를 칭찬을 하면서 말을 이어 나갔다.

"어떻게 알게 되었냐고 묻는다면 영업 비밀이라고 대답하겠죠? 어쨌든 뭐 이미 알고 있다면 이야기하기가 더 쉽겠네요. 그래요. 그 위천옥 때문에 천수호동에 화재가 일어났어요. 그리고 그 위천옥 때문에 내 사랑하는 동생 소홍이 잔뜩 겁을 먹은 상태이고요."

십삼매의 말에 강만리와 예예의 시선이 동시에 소홍에게로 쏠렸다. 창백한 얼굴의 소홍은 애써 웃으려고 했다.

그 미미하게 떨리는 입술의 움직임을 지켜보면서 강만

리가 오랜만에 입을 열었다.

"왜 소홍이 겁을 먹어?"

십삼매는 한숨을 쉬며 말했다.

"위천옥이 그녀를 만나고 싶어 하거든요."

"왜?"

"그거야 위천옥 속마음을 들여다보지 않았으니까 알 도리가 없죠."

"아니, 애당초 위천옥이 소홍의 존재를 어떻게 알지?"

"몰라요. 어쩌면 허 노야가 가르쳐 줬을 수도 있겠네요."

"흠……."

강만리는 무심코 엉덩이를 긁적였다. 뭔가 답답하고 께름칙했다. 십삼매가 대답하는 말들이 모두 미리 준비한 대답이라는 생각이 들었다.

거짓말일까.

거짓말이라면 또 어디에서부터 거짓말일까.

강만리는 십삼매가 어떻게 거짓말을 하는지 익히 잘 알고 있었다.

'말하는 모든 게 거짓은 아니지. 열에 일곱은 사실이고 진실이지만, 정작 중요한 셋을 두고 거짓말을 하는 거야. 그래서 사람을 현혹하고 착각하게 만드는 게지.'

사실 꽤 오래전부터 십삼매는 천연덕스럽게 거짓말을 할 줄 알았다.

어린 시절의 그녀는 거짓말은 전혀 할 줄 모른다는 얼굴로 태연하게 거짓말을 늘어놓았고, 놀랍게도 상대는 그녀의 얼굴과 표정을 보고 그 거짓말을 진실로 받아들였다.

그렇게 십수 년 성상(星霜)이 바뀐 오늘날의 그녀는 마음만 먹으면 그 어떤 이도 속일 수 있는 능력을 지니게 되었다.

"왜 믿지 못하겠다는 표정을 짓죠?"

십삼매가 답답하다는 듯이 물었다. 강만리는 대꾸 대신 소홍에게 물었다.

"십삼매의 말이 사실이냐?"

소홍은 고개를 끄덕이며 속삭이듯 희미한 목소리로 대답했다.

"그…… 그를 만나기 싫어요."

강만리는 그녀가 안쓰러웠다.

수년 전 그녀는 깜찍하게도 아무것도 입지 않은 맨몸으로 강만리의 이불 속에 숨어서 그를 기다린 적이 있었다. 강만리를 아빠로 삼지 못한다면 아예 자신의 남편으로 삼겠다는 어린 소녀 특유의 상상력에서 비롯된 행동이었다.

그 깜찍하고 활달한 그녀가 지금 이렇게 겁에 질린 채 오돌오돌 떨고 있는 모습을 보자니, 강만리는 저도 모르게 화가 치밀어 올랐다.

"그럼 만나지 않으면 되잖으냐?"

강만리의 목소리가 살짝 높아졌다. 소홍 대신 십삼매가 재빠르게 대답했다.

"아까도 말했잖아요? 위천옥은 이미 괴물처럼 강하다고요."

"그래서, 거절을 할 수 없다?"

"거절하게 되면…… 황계가 송두리째 위험에 처하니까요."

십삼매가 한숨을 쉬며 말했다. 강만리가 짜증이 난 표정을 지으며 입을 열었다. 하지만 그보다 빨리 예예가 말을 가로챘다.

"그래서 뭘 원하시는데요?"

여전히 침착하고 여유가 있는 표정의 예예였다. 강만리는 힐끗 그녀를 보고는 자책했다.

'이런…… 또다시 십삼매의 흐름에 빠져들었군. 그렇게나 조심한다고 했는데.'

그는 입맛을 다시며 팔짱을 꼈다. 한동안 냉정을 유지한 채 관망하려는 것이다.

"원하는 건 없어요, 올케."

십삼매가 웃으며 말했다.

"그저 하소연할 데가 없어서 그래도 날 잘 알아주는 오라버니와 올케를 찾아왔을 뿐이에요."

"이렇게 늦은 시간에요?"

"너무 늦기는 했죠? 죄송해요. 좀 더 일찍 오려고 했지만 어젯밤 일들을 수습하느라 시간이 제법 걸려서요. 그리고 내일 오기에는 또 밤새 무슨 일이 벌어질지 몰라서요."

"그럼 우리에게 하소연했으니 된 건가요?"

"네. 정말 하소연만 하러 왔을 뿐이니까요."

십삼매와 예예는 서로 미소를 머금은 채 부드럽고 우아한 목소리로 대화를 나눴다.

그녀들의 표정과 목소리만 보자면 마치 정담(情談)을 나누는 것 같기도 했고, 가족끼리 하소연을 하고 들어 주는 것 같기도 했다.

하지만 정작 그 대화의 내용은 마치 잘 벼린 검으로 서로의 급소를 노리고 쉴 새 없이 공격하는 것처럼 날카롭고 매섭기 그지없었다.

"대고자의 말씀 잘 들었어요. 고생이 많으시겠네요. 그럼 이제 어제 일로 해서 피곤도 하고 시간도 꽤 흐르고 했으니 이만 자리에서 일어나죠, 다들."

예예는 부드럽게 미소를 지으며 말했다.

냉정한 축객령.

하지만 십삼매는 자리에서 일어나지 않았다. 화평장 안

주인의 축객령이 떨어졌지만, 그녀는 외려 안주인의 말을 무시하고는 강만리를 돌아보며 입을 열었다.

"참, 위천옥이라는 아이가 우리 소홍만 아니라 오라버니를 비롯한 무림오적 다섯 분도 모두 만나 보고 싶어 하던데요."

강만리는 미처 몰랐다는 투로 대꾸했다.

"그래? 처음 듣는 이야기로군."

"혹시 초대장 같은 걸 받지 않으셨어요?"

"모르겠다. 오늘 늦게 일어난 까닭에 장원 일은 모두 양 당주에게 맡겨 놓았거든. 어쩌면 양 당주가 받았을지도."

"흠, 그런가요?"

십삼매는 마치 모든 걸 다 알고 있다는 듯한 표정을 지으며 배시시 웃었다. 그리고 다시 진지한 얼굴로 말을 이었다.

"조심하세요."

"음."

"위천옥에 대해서 이미 알고 계시니 다른 이야기는 하지 않겠어요. 단지 그 아이, 평범한 사고방식으로 대하면 정말 위험해요. 그 아이는 사람이 아니라…… 괴물이거든요."

"흠."

강만리는 가타부타 말을 하지 않았다. 그는 여전히 팔짱을 낀 채 무심한 눈빛으로 십삼매를 바라보았다.

하지만 그 시선 한쪽으로 파고드는 소홍의 창백한 얼굴을, 그는 결코 간과할 수가 없었다.

“그럼 할 이야기는 다 한 것 같으니까.”

십삼매가 자리에서 일어나려 했다. 예예가 따라 일어서려는 순간 그녀는 “아!” 하며 다시 자리에 앉았다. 예예의 낯이 살짝 찌푸려졌다.

십삼매는 더없이 진지한 표정을 지으며 입을 열었다.

“아! 깜빡 잊고 있었던 게 있네요. 혹시 말이에요, 오라버니. 소홍을 잠시 숨겨 줄 수 있으세요?”

“음?”

묵묵히 듣고만 있던 강만리의 눈빛이 흔들렸다.

‘이게 본론이었던 건가?’

결국 이 이야기를 하기 위해서 지금껏 엉뚱한 이야기만 늘어놓았던 건가.

아니, 원래는 강만리나 예예의 입에서 그런 말이 흘러나오기를 바랐을 것이다. 십삼매가 아는 평소의 강만리나 예예라면 정에 이끌려서 이 불쌍해 보이는 소홍을 가만 놔두지 않았을 테니까.

하지만 이날따라 강만리는 한없이 무뚝뚝했고, 예예는 십삼매를 향해 보이지 않는 송곳니를 드러냈다. 누구 하나 십삼매의 의도대로 움직이지 않았다.

결국 그녀는 어쩔 도리 없이 제 입으로 소홍을 숨겨 달라고 부탁해야만 했던 것이다.

3. 소홍

"소홍을?"

강만리는 저도 모르게 소홍을 돌아보았다.

소홍은 고개를 푹 숙였다. 창백해진 건 얼굴뿐만이 아니었다. 그녀의 귀와 목덜미까지 핏기 한 점 보이지 않았다.

"그래요. 한 닷새 정도면 충분해요. 위천옥이 이곳에 머무는 기간이 그 정도밖에 되지 않을 테니까요."

십삼매의 말에 강만리는 고개를 갸우뚱거리며 물었다.

"이곳에 정착하는 게 아니었나?"

십삼매는 달콤하게 웃으며 말했다.

"아뇨. 생각보다 그 아이, 정말 바쁘거든요. 그 아이를 필요로 하는 곳이 워낙 많아서, 한곳에 그리 오래 머물지 못해요. 사실 닷새도 그에게는 제법 긴 시간이거든요."

'위천옥을 필요로 하는 곳이 많다?'

강만리는 궁금했다.

위천옥은 오만방자하고 방약무인한 독불장군이었다.

사람들에게 들은 이야기를 종합해 본다면 장점이라고는 오직 하나, 그 괴물 같은 무위뿐이었다.

그 위천옥을 필요로 한다는 건 결국 괴물 같은 무위가 필요하다는 의미일 터. 어쩌면 위천옥은 오대가문이나 태극천맹, 정파의 영웅호걸들을 살해하며 대륙 전역을 돌아다니는 중일지도 몰랐다.

'이번에 성도부에 온 이유도 정극신을 상대하기 위해서가 아니었을까?'

강만리의 뇌리에 떠오른 생각이었다.

십삼매나 허 노야는 무림오적의 힘만으로는 정극신을 해치울 수 없다고 판단했을 것이다. 그래서 위천옥을 불러 그가 정극신을 상대하게 만들 작정이었다.

하지만 의외로 무림오적은 정극신을 해치웠고, 그 바람에 위천옥이 해야 할 일이 사라진 것이다.

심심해진 위천옥은 어린 나이에 이미 십삼매의 미모를 뛰어넘었다고 알려진 소홍을 불러 즐기려 했고, 또 한편으로는 정극신을 해치운 무림오적이 얼마나 대단한 녀석들인지 직접 확인하려 한 모양이었다.

이게 강만리가 십삼매의 이야기를 듣고 구성한 추론이었다. 그게 정확한 추론인지는 아직 확신할 수가 없었다.

어쨌든 십삼매의 이야기에는 적지 않은 부분에 거짓이 섞여 있었으니까, 그걸 감안한다면 이런저런 오류가 있을 게 분명했다.

'하지만 대충 윤곽은 비슷할 것이다. 위천옥은 정극신을 죽이기 위해 성도부를 찾아온 것이다. 그가 대륙의 수많은 성시를 돌아다니다가 마침 성도부에 왔을 때 우연처럼 정극신이 이곳에 있을 확률은 거의 없으니까.'

아무리 위천옥이 괴물 같은 무위를 지녔다고는 하지만 결국 피와 살과 뼈로 만들어진 사람이었다.

위천옥 홀로 저 철목가 본산을 찾아가 그 수천의 무사들을 통과하여 정극신을 해치우는 건 아무리 그가 괴물이라 하더라도 불가능한 일일 수밖에 없었다.

그러니 이렇게 정극신이 본가에서 멀리 떨어진 성도부에 있을 때, 바로 그때가 정극신을 살해하기 가장 좋은 순간인 셈이었다.

그렇게 생각한 강만리는 슬쩍 십삼매의 의중을 떠봤다.

"정극신이 죽었는데도 이곳 성도부에서 닷새나 머무는 거야?"

"이곳에 흥미로운 사람들이 많은가 봐요. 애당초……."

십삼매는 별생각 없이 대답하다가 문득 입을 다물었다. 그리고는 강만리를 향해 샐쭉하게 눈을 흘기며 토라진 듯 말을 이었다.

"알고 보니 못 보는 동안 구렁이를 열 마리 삼키셨나 보네요. 음흉하기가 허 노야급이네요."

"음흉하다고, 내가?"

강만리는 눈을 멀뚱거리며 물었다.

"왜? 내가 왜?"

"아뇨, 됐어요."

십삼매는 한숨을 쉬며 말했다.

"어쨌든 닷새 정도면 되요. 그동안 소홍을 이곳에 좀 숨겨 주세요."

강만리는 대답 대신 예예를 돌아보았다. 마치 이 일의 결정권은 자신이 아닌 예예에게 있다고 말하는 것처럼.

어쩔 도리 없이 십삼매도 강만리를 따라 예예를 돌아보며 방긋 웃었다.

"그렇게 해 줄 수 있어, 올케?"

예예도 방긋 웃으며 대답했다.

"소홍을 생각한다면 당연히 그렇게 해 줘야죠."

"고마워."

"하지만 대고자의 확실한 대답이 먼저 필요해요."

"응? 내 대답?"

"네. 우리가 소홍을 숨겨 주는 대신 위천옥과 우리가 만나지 않도록 해 주세요."

"응?"

십삼매의 낯이 굳어졌다. 예예는 미소를 잃지 않은 채 말을 이어 나갔다.

"만약 대고자 말씀대로 위천옥이 무림오적을 만나고자 한다면, 그건 우리에게 있어서 썩 좋은 결과가 나오지 않을 게 확실하거든요. 그러니 우리는 소홍을 숨겨 주고, 대고자는 우리를 위천옥과 만나지 않게 해 주는 거예요. 그거야말로 양쪽 모두 이득이 되는 일이 아닐까 하는데요."

"으음."

십삼매는 곤혹스럽다는 듯 얕은 신음 소리를 냈다. 달콤하면서고 끈적거리는, 콧소리 살짝 섞인 신음이었다.

강만리는 저도 모르게 아랫도리에 힘이 모이는 걸 느끼고는 얼른 다리를 꼬고 앉았다.

십삼매는 망설이며 쉽게 대답하지 않았다.

아무리 그녀라 하더라도 위천옥에 관해서는 뭔가 확실한 대답을 줄 수가 없었던 게다. 즉 위천옥은 이미 그녀가 제어할 수 없는, 외려 그녀가 위천옥의 눈치를 살펴야 하는 상황이 되고 만 게다.

'예예가 말한 그녀의 성격이라면 위천옥은 그야말로 가시 같은 존재일 수밖에 없겠다.'

강만리는 내심 중얼거렸다.

예예에 따르자면 모든 걸 자신의 손에 넣은 채 자신의 의지와 뜻대로 제어하고 조종해야만 비로소 안심하는 게 십삼매의 성격이라고 했다.

그러니 그녀와 위천옥은 극과 극의 성향이었고, 지금이

아니더라도 언젠가는 서로 부딪쳐 큰 폭발을 일으킬 가능성이 농후했다.

'자칫 사마외도의 모든 세력을 한꺼번에 붕괴시킬 수 있을 정도의 큰 폭발이 일어날 수도 있겠군.'

강만리는 머릿속 깊은 곳에 그 가능성에 대해 기억해 두었다. 언젠가는 반드시 사용할 수 있는 가능성이었으니까.

"노력해 보죠."

그때 십삼매가 한숨을 쉬며 입을 열었다.

"확답은 할 수 없지만 최선을 다할게요. 세상일 모든 게 내 뜻대로 되는 게 아니니까요."

가만히 그녀의 얼굴을 바라보고 있던 예예는 고개를 끄덕이며 말을 받았다.

"맞아요. 세상일 모든 게 내 뜻대로만 되면 얼마나 좋겠어요. 아무리 노력하고 최선을 다해도 안 되는 건 결국 안 되는 거죠. 대고자 말을 믿어요. 소홍은 우리가 숨겨 줄 테니, 대고자는 우리와 위천옥이 만나지 않도록 도와주세요."

"최선을 다할게요."

"흐흠, 이제 막 생각났는데 말이지."

강만리가 헛기침을 하며 끼어들었다.

"그러고 보니 허 노야에게서 초대장이 온 것 같기는

해. 날짜나 시간은 명시되어 있지 않았지만 꽤 위압적인 말투로 초대하겠다고 한 것 같아."

"그럴 줄 알았어요."

십삼매는 눈을 흘기며 말했다.

"날짜나 시간을 지정하지 않은 건 그들 또한 나름대로 바쁘거든요. 최소한 하루 이틀 정도는 내부 정리 등을 이유로 좀처럼 시간을 내지 못할 거예요."

"흠, 알겠어. 위천옥에 대한 건 임자에게 맡길 터이니 잘 부탁해."

"제게 맡겨만 주세요, 라고 확답하지 못하는 게 아쉬울 따름이에요."

"됐네."

강만리는 게서 소홍에게로 시선을 돌리며 물었다.

"그래. 그럼 이곳에서 쉬는 동안 네 거처를 정해야 하는데."

예예가 끼어들었다.

"소홍이 이곳에 머무를 때면 늘 유운각에 있었어요."

유운각이라면 담우천의 거처였다. 강만리는 머리를 굴려 기억을 더듬었다.

확실히 소홍이 화평장에 있을 때는 언제나 그 곁에 담창이나 담호가 있었다. 소홍은 그 아이들을 마치 자신의 친동생들처럼 귀여워하고 보살폈다.

가끔 밖에 나가서 맛있는 과자 등 주전부리할 것들을 사 와서 아이들에게 나눠 주는 모습도 본 적이 있었다.

"흠, 그렇다면 담 형님께 말씀드려야겠군. 아, 네 의견은 어떠냐?"

강만리는 대청 밖에 대기하고 있는 무사를 부르려다가 다시 소홍의 의견을 물었다.

"어디든 상관없어요."

소홍은 소리 죽여 말했다. 아직도 그녀의 안색은 창백했고 목소리에는 힘이 없었다. 여전히 그녀는 위천옥을 두려워하고 있는 모습이었다.

마치 비에 홀딱 젖은 참새처럼 오돌오돌 떠는 그녀를 보면서 강만리는 한숨을 길게 내쉬었다.

'도대체 이 여리고 약한 아이에게 무슨 죄가 있다고…….'

설벽린의 말에 의하자면 위천옥은 여자를 아무렇게나 다룬다고 했다. 마음에 들지 않으면 그 자리에서 팔을 부러뜨리고 다리를 분질러 놓는다고 했다. 소홍이 그 거칠 것 없는 폭력성 앞에 놓인다면…….

'절대 그렇게 되지 않을 것이다.'

강만리는 그리 결심하며 대청 밖 무사를 불렀다.

"밖에 누구 없느냐?"

기다리고 있었다는 듯이 양위가 대답했다.

"속하가 있습니다."

강만리는 말했다.

"유운각에 가서 담 형님께 소홍이 한 닷새가량 신세를 지겠다고 전하시오."

"존명!"

대청 밖의 양위는 평소보다 힘차게 대답했다. 아마 십삼매에게 이 화평장의 군기(軍氣)가 얼마나 제대로 잡혀 있는지 보여 주려는 심산인 듯했다.

"그럼 소홍 이야기는 끝났고. 임자도 더 볼일이 없으면 이제 돌아가지."

강만리의 말에 십삼매는 문득 화제를 돌렸다.

"그런데 무적가와 철목가의 북수, 어떻게 대비하고 계시냐요?"

뜬금없고 갑작스러운 질문이었다. 강만리는 당황하지 않았다. 이게 십삼매가 대화의 주도권을 잡는 방식이었으니까.

그는 천천히 차를 마시며 시간을 번 다음 느긋한 어조로 말했다.

"아직 준비하고 있는 건 아무것도 없다."

"왜요?"

십삼매가 방긋 웃으며 물었다.

"설마 우리 황계의 도움을 기다리고 계시는 건가요?"

'역시.'

예예의 말이 옳았다. 십삼매는 잠시 자신의 손아귀를 벗어나 궤도를 이탈한 강만리와 무림오적을 다시 제 고삐에 묶어 제어하려는 것이다.

"아쉽게도."

강만리는 딱 잘라 말했다.

"황계의 도움은 바라지 않고 있네. 아, 굳이 도와주겠다면 말리지는 않겠지만."

"어머나, 대단한 자신감이네요. 그 무적가와 철목가, 그리고 남은 삼대가문이 언제 쳐들어올지 모르는 상황인데."

"그건 여유가 있다."

"여유요?"

"그래. 그들은 생각보다 쉽게 움직이지 않을 테니까."

강만리의 말에 십삼매가 아무도 모르게 눈빛을 반짝였다. 그리고는 강만리의 말이 무슨 뜻인지 모르겠다는 표정을 지으며 재차 물었다.

"왜 그렇게 생각하시는데요?"

"그건…… 굳이 대답하지 않아도 될 것 같은데."

강만리가 씨익 웃으며 말했다.

"임자도 그리 생각하고 있을 테니까."

5장.

어른이 되어 가는 과정

"딱 너만 했을 때의 이야기란다.
내가 유년 시절을 보낸 곳은 태홍각(太紅閣)이라는 기루(妓樓)였는데,
그때는 너보다 키가 반 뼘 정도 작았고 몸도 그리 튼튼하지 못했지."

어른이 되어 가는 과정

1. 어른이 되어 가는 시간

잠자리에 든 지 제법 시간이 흘렀지만 담호는 아직도 잠을 이루지 못한 채 엎치락뒤치락하고 있었다. 옆 침상의 담창은 이불과 한 몸이 되어 새근새근 자고 있었다.

'이게 다 화 숙부와 설 숙부 때문이야.'

담호는 모로 돌아누우며 속으로 투덜거렸다.

그 숙부들이 괜히 소홍 누나 이야기를 꺼내는 바람에, 혼인이니 신부로 삼느니 운운하는 바람에 이렇게 잠을 이루지 못하게 된 거야.

담호는 이불을 머리끝까지 뒤집어썼다.

담호의 아랫도리에 털이 나기 시작한 전 작년 말 무렵

이었다. 목욕을 할 때마다 담호는 아직 풍성하지는 않지만 그래도 이제 제법 무성해진 털을 내려다보며 '이제 나도 어른이다'라고 생각했다.

몽정(夢精)이라는 것도 원단이 지나고 얼마 되지 않아 처음으로 겪었다.

처음에는 병이 걸린 게 아닐까 싶어서 얼굴이 새파랗게 질렸지만, 이불 빨래를 하러 온 작은 엄마 소화를 통해 그게 병이 아니라는 걸 알게 되었다.

외려 어른이 되어 가는 징조라는 소리를 듣고 얼마나 뿌듯했는지 몰랐다.

소화는 그를 자리에 앉혀 놓고 차분하고 자세하게 설명해 주었다. 몽정을 하면서 새어 나온 그 하얀 액체가 무엇인지 이야기해 주었고, 이제 사랑하는 사람과 몸을 섞으면 그 액체로 인해 자식을 낳을 수 있다고도 말했다.

담호는 부끄러운 감정과 호기심이 한데 뒤섞인 눈빛을 초롱초롱 빛내면서 그녀의 이야기에 귀를 기울였다.

이 시대의 사람들은 보통 열다섯 여섯 살 무렵 혼인을 한다. 그때까지 제대로 정사에 대한 교육을 받지 못한다면 그야말로 형편없는 초야(初夜)를 치를 수도 있었다.

하지만 그 어린 신랑과 신부는 이미 또래들과의 대화를 통해 남녀가 몸을 섞는다는 게 무엇인지 잘 알고 있었다. 심지어 직접 경험을 통해 습득한 아이들도 있었다.

상대는 많았다. 몸종도 있고, 하녀나 하인들도 있었다. 물론 조금 일찍 성에 눈뜬 동네 또래들도 있었으며, 홀아비와 과부들도 넘쳐났다.

사내아이들의 경우에는 돈을 모아 함께 유곽(遊廓)을 찾아가는 상황도 적지 않았다. 어쨌든 성을 숨기는 시대도 아니었고, 그것을 부끄러워하는 이들도 아니었다.

저 고관대작의 여식들이야 나름대로 몸을 함부로 굴리면 안 된다는 교육을 철저하게 받겠지만, 예를 들어 천수호동의 아이들은 전혀 그렇지 않았다.

남녀에 유별(有別)이 없이 함께 어울려 놀면서 그들은 스스럼없이 몸을 섞었다. 그걸 말리거나 꾸중하거나 교육할 어른들은 빈민가에 존재하지 않았다.

사실 담호 정도의 나이가 되면 이미 또래 동네 아이들을 통해서 여자의 신체가 어떤지, 어떻게 정사를 치르는지 이미 다 알고 있어야 했다.

그러나 담호는 그렇게 이야기를 나눌 또래 아이들이 없었다. 그의 친구는 장원의 무사들이었다. 여자라고는 그보다 나이가 많은 하녀와 시비들이 전부였다. 그에게는 또래라고 할 만한 이들이 전혀 없었다.

그래서 소화가 전해 주는 성에 관한 이야기는 담호가 생전 처음 듣는 내용이었다. 그가 그렇게까지 부끄럼을 타지 않은 건 바로 그런 이유에서였다. 또한 담호의 성정이 매우 올바르고 착하기 때문이기도 했다.

하지만 이날은 달랐다.

화군악과 설벽린의 이야기에 담호는 정말 쥐구멍에라도 숨고 싶을 정도로 부끄러웠다.

왜 그렇게 부끄러워했는지는 담호도 몰랐다. 단지 저녁식사 때부터 지금 이렇게 잠을 못 이루고 있을 때까지 담호의 뇌리는 온통 소홍으로 가득 차 있었다.

'누나는 정말 예뻐.'

그랬다. 그 누나는 정말 예뻤다. 처음 만났을 때도 예뻤지만 갈수록 더 예뻐졌다.

누나를 볼 때마다 가슴이 두근거리고 볼이 빨갛게 물들었다. 정면으로 누나를 쳐다보지 못해서 늘 고개를 돌리거나 땅을 내려다봐야 했다.

물론 아직 어린 담호는 그녀의 풍만한 가슴이나 잘록한 허리나 탱탱한 둔부 같은 건 눈에 들어오지 않았다.

그저 주변 시녀들보다 몇 배는 더 예쁜 그녀의 얼굴에, 꽃처럼 향긋하고 사탕처럼 달콤한 그녀의 향기에 놀란 그의 가슴이 어찌할 바 모르고 두근거릴 뿐이었다.

사실 그 정도의 감정이었다. 소홍이 비록 예쁘다고는 하지만 담호에게 있어서 네다섯 살 차이가 나는 누나였다.

그 또래에 네다섯 살 차이라는 건 이십 대 혹은 삼십

대가 느끼는 네다섯 살 차이와 비교가 될 수 없을 정도로 컸다.

담호는 아직 어린 아이였지만 소홍은 이미 제대로 된 어른이었다.

적어도 담호는 그렇게 생각하고 있었다.

그런데 이날, 화군악과 설벽린은 그 네다섯 살 차이가 나는 누나를 아무렇지 않게 담호의 신붓감으로 이야기했다.

그제야 비로소 담호는 그 네다섯 살 차이가 생각보다 큰 게 아니라는 사실을 알게 되었다. 또 누나이기만 했던 소홍이 부지불식간에 여자로 바뀌게 된 것이다.

'아휴, 참.'

담호는 한숨을 쉬며 두 다리를 오므렸다. 소홍의 그 예쁜 모습을 떠올릴 때마다 자꾸만 아랫도리가 근질거리고 힘이 모이는 바람에 난처해진 것이다.

아직 수음(手淫)이라는 걸 경험해 보지 못한 담호였다. 자신의 양물이 딱딱해지고 부풀어 오르는 건 그저 오줌을 눌 때, 오줌발이 높고 멀리 나가도록 하기 위함이라고만 알고 있는 그였다.

그래서 지금 이렇게 가슴이 답답하고 살짝 미열이 나는 것 같고 입이 마르며 아랫도리가 근질거리는 이유를, 담호는 전혀 알지 못했다.

그때였다. 문밖 복도 저편에서 두런거리는 소리가 희미하게 들려왔다. 담호는 제풀에 움찔 놀라 새우처럼 몸을 구부리는 한편, 그 들려오는 소리에 귀를 기울였다.

"소홍 아가씨께서 한동안 이곳에 머물고 싶다고 합니다."

담호는 그렇게 말한 사람을 잘 알고 있었다. 양위 아저씨의 목소리였다.

"상관없어요. 그 아이라면 언제든지 환영이에요, 저는."

이렇게 말한 이는 소화였고, 그 뒤를 이어 말한 사람은 나찰염요였다.

"알겠어요. 바로 아이들 옆방을 치우고, 자리를 만들게요."

"무슨 일인지는 내일 담 아우에게 물어보는 게 낫겠지?"

담우천의 말에 나찰염요가 대답했다.

"그래요, 여보."

그것으로 대화는 끊겼다.

복도를 따라 걸어오는 기척이 들렸다. 나찰염요 아니면 소화일 것이다.

담호는 황급히 다시 이불을 뒤집어쓰고 자는 척을 했다.

아니나 다를까, 복도를 지나치려던 그 발걸음이 담호의 방문 밖에서 멈춰서더니 이내 문이 열리고 소화가 들어왔다. 그녀는 이불을 껴안은 채 잠든 담창을 보고는 킥킥 웃었다.

"이렇게 자면서 감기 한 번 안 걸리는 게 용하다니까."

소화는 나지막이 중얼거리며 담창의 이불을 다시 덮어 주었다. 그녀가 잠들어 있는 담창의 볼에 입을 맞추는 쪽! 소리가 유난히 크게 울려 퍼졌다.

그렇게 담창의 잠자리를 정리한 후, 담호의 침상 곁으로 다가온 소화가 또 한 번 킥킥거렸다.

"어쩜 이렇게 형제가 다르게 자는지 몰라."

그녀는 담호의 얼굴을 덮고 있던 이불을 내렸다. 빨갛게 달아오른 담호의 옆얼굴이 고스란히 드러났다.

"거봐. 이렇게 이불을 답답할 정도로 푹 눌러 쓰고 자니까 열이 오를 수밖에."

소화는 중얼거리며 담호의 볼에 입을 맞췄다. 이번에도 쪽 소리가 났다.

잠든 척하고 있던 담호의 심장이 쿵쾅거렸다.

소화는 그렇게 두 소년의 잠자리를 정리해 주고는 조심스럽게 방문을 닫았다. 옆방으로 향하는 그녀의 발걸음 소리가 점점 더 희미해져 갔다.

"휴우."

담호는 소매를 들어 이마의 땀을 닦았다. 마치 고뿔이라도 걸린 양, 그의 이마에는 식은땀이 흥건했다. 담호는 잠시 멍하니 어두운 천장을 쳐다보다가 도저히 안 되겠는지 몸을 일으켜 자리에 앉았다.

'소홍 누나가 왜?'

우리 집에서 며칠 묵는다고 했을까?

설마 나 때문에…….

'에잇, 말도 안 되는 소리.'

담호는 세차게 머리를 흔들고는 다시 자리에 누웠다.

잠 못 이루는 밤의 시간이 느릿하게 흘러가고 있었다.

* * *

"아직도 자니?"

달콤한 향기. 촉촉하게 젖은 목소리. 따뜻한 숨결. 부드러운 손길.

"으응, 늦게 잤어요."

밤새 뒤척거리느라 새벽녘에 겨우 잠든 담호는 잠투정을 부리는 와중에도, 자신을 깨우는 이가 작은 엄마는 아닐 거라고 생각했다.

'큰엄만가?'

그러나 큰엄마, 나찰염요도 아니었다.

"늦게 자기는! 내가 왔을 때도 이미 잠들어 있더만! 얼른 일어나!"

여인, 소홍은 웃는 목소리로 쾌활하게 외치며 담호의 이불을 걷어 냈다.

"얼른 일어나라고. 해가 벌써…… 어마!"

소홍은 담호의 옆구리를 간질이다가 문득 바지 앞섶이 크게 부풀어 올라 있는 걸 발견했다. 그걸 본 소홍의 얼굴이 살짝 달아올랐다.

'사내들이 아침마다 발기한다는 게 사실이었네. 그나저나 아호, 얘가 이렇게나 컸어?'

유곽의 골목길에서 살아가는 소홍에게 있어서 담호는 그저 귀엽고 깜찍한 꼬마에 불과했다. 순식간에 소홍만큼 키가 자라고 덩치가 더 커졌어도 그녀는 여전히 담호를 어린아이로만 생각했다.

하지만 지금 저 앞섶을 뚫고 튀어나올 정도로 부푼 물건은, 유곽에서 몰래 훔쳐본 사내들의 물건과 비교해도 더 컸으면 컸지 적혀 작지 않았다.

'언니들이 싫어하겠네.'

유곽의 여인들은 사내 물건이 크면 클수록 싫어했다. 거물(巨物)을 가진 손님을 한 번 접대하면 그날 온종일 힘들어서 장사하지 못한다며 투덜거렸다.

'그렇게 투덜거리면서도 왠지 더 좋아하는 것 같은 눈

빛이기는 했지만…….'

그런 생각을 하면서 크게 부푼 앞섶을 내려다보던 소홍은 뒤늦게 그 앞섶이 정체 모를 이물질로 인해 적셔진 걸 보고 움찔거렸다.

'응? 저건?'

오줌은 아니었다. 오줌보다 더 진하고 끈적거리는 액체의 흔적. 그게 무엇인지 알게 된 순간, 소홍의 온몸에 소름이 돋았다.

담호는 그것도 모른 채 여전히 잠투정하면서 이불을 챙기려 했다.

"아아, 진짜. 조금만 더 자고요……."

담호는 그렇게 말하며 이불을 끌어당기다가 문득 아랫도리가 끈적거리는 느낌을 받았다. 몇 달 전 느꼈던 그 축축하고 불쾌한 느낌.

이내 잠이 확 달아나고 정신이 번쩍 들었다.

'또야?'

불안하다 못해 불길한 생각까지 들었다. 그는 자리에서 벌떡 일어나 앉으며 제 바지 앞섶을 내려다보았다. 아니나 다를까, 그곳에는 몽정의 흔적이 고스란히 묻어 있었다.

아직도 제정신을 차리지 못한 담호가 한숨을 쉬었다.

"또 몽정이라니, 이렇게 몽정이라는 게 자주 있는 일이야?"

그렇게 중얼거리던 담호는 뒤늦게 아차! 싶었다. 방금까지 누군가가 자신을 깨우고 있었다는 걸 그제야 알아차린 것이다.

담호는 고개를 돌렸다. 그는 깜짝 놀라 소리쳤다.

"어? 누나?"

그곳에는 소홍이 얼굴을 새빨갛게 물들인 채 두 손으로 입을 틀어막은 모습으로 서 있었다. 그녀와 시선이 마주친 담호의 얼굴이 금세 시뻘겋게 달아올랐다.

"아, 누, 누나. 이, 이건 그, 그러니까……."

담호는 어쩔 줄을 몰라 하며 말을 더듬었다.

소홍은 담호가 놀라고 당황하지 않도록 애써 침착함을 되찾으며 웃었다.

"알아, 나도. 네 나이 또래는 다 그런 거래. 그러니까 너무 부끄러워하지 않아도 돼."

소홍은 떨리는 손길로 담호의 머리를 쓰다듬으며 말했다.

"축하해. 이제 너도 어른이 되었네."

그녀는 끝까지 어색한 미소를 유지한 채 말을 이었다.

"그럼 소화 언니에게 이불 정리하라고 말해 둘게. 얼른 옷을 갈아입고 나와. 다들 널 기다리느라 아직 식사를 하지 않고 있거든."

그녀는 방을 나섰다. 문을 닫고 등을 기댄 그녀는 그제야 길게 숨을 내쉬었다.

그녀의 가슴이 콩닥거렸다. 사내들의 몽정이라는 걸 들어 본 적은 있었지만 이렇게 두 눈으로 직접 본 건 처음이었다.

'세상에나.'

소홍은 가슴을 쓸어내리며 속으로 중얼거렸다.

'늘 어리게만 봐 왔던 아호가 이제 아이를 갖게 할 나이가 된 거네. 진짜 어른이 된 거잖아?'

안 그래도 근래 훌쩍 자란 담호였다. 무공 수련으로 단련된 근육질의 몸매는 한없이 탄탄해 보였다. 귀여웠던 얼굴은 점점 잘생긴 청년의 그것으로 바뀌고 있었다.

소홍은 시녀들이나 하녀들이 담호를 두고 수군덕거리는 대화를 들은 적이 있었다.

대체로 성적(性的)인 이야기나 농담이었는데, 그 대화를 엿들을 때마다 소홍은 코웃음을 쳤다. 아직 고추에 털도 나지 않았을 꼬마를 두고 무슨 그런 상스러운 농담을 하는가 싶었다.

하지만 이제는 그게 아니었다.

언제든 담호와 정사를 치르게 되면 아이를 잉태할 수 있게 된 것이다.

'어머나, 세상에! 아호와 정사라니…….'

거기까지 생각하던 소홍은 제풀에 화들짝 놀라 황급히

자리를 떴다.
그때였다.
"으으윽!"
뒤늦게 방문 안쪽에서 절규도 신음도 아닌 소리가 흘러나오기 시작했다.

2. 죽고 싶어, 진짜

옷을 갈아입은 담호는 고개를 푹 숙인 채 자리에 앉았다.
"늦게 일어났구나."
담우천의 말에 담호는 고개를 들지 못한 채 대답했다.
"죄송합니다."
"됐다. 어서 먹자."
담우천의 말이 떨어지기가 무섭게 담창이 양손 가득 만두를 집어 들었다.
"천천히 먹어. 누가 뺏어 먹지 않으니까."
소화가 웃으며 말했다.
"너도 많이 먹으렴. 참, 이 공심채 볶은 걸 좋아했지?"
나찰염요가 접시를 소홍 앞으로 밀어주며 말했다.
"감사합니다."

소홍이 웃으며 대답했다.

사람들이 두런두런 대화를 나누며 식사하는 동안 담호는 끝까지 고개를 숙인 채 제 앞에 놓인 밥과 나물을 끄적거리다가 자리에서 일어났다.

"왜? 그만 먹게?"

소화가 묻자 담호는 소리 죽여 대답했다.

"네. 입맛이 없어요."

그는 서둘러 밖으로 나왔다.

어느덧 제법 날씨가 따뜻해져서 정오 무렵은 봄날이라 해도 괜찮을 정도의 온기가 있었다.

담호는 길게 한숨을 내쉬며 이리저리 발길을 옮겼다. 몽정한 걸 들키다니, 그것도 소홍에게. 도대체 앞으로 그녀를 어떻게 볼 수 있을까.

유운각 대청에서 웃는 소리가 들려왔다. 담호는 그들이 자신의 몽정 이야기를 하는 것 같아서 부끄럽고 창피해 그만 죽고 싶었다.

그래서였다, 저도 모르게 그 말이 담호의 입 밖으로 흘러나온 것은.

"죽고 싶어, 진짜."

"응? 예서 뭐 하느냐, 아호?"

그때 귀에 익은 목소리가 들려왔다.

담호는 깜짝 고개를 들었다. 정유가 뒷짐을 진 채 그를 바라보고 있었다. 담호는 주위를 둘러보았다. 자신도 모르는 새, 어느덧 그는 영빈각 앞에 이르러 있었다.

담호는 공손하게 정유를 향해 인사했다.

"잠깐 다른 생각을 하다가 여기까지 온 것 같아요, 정숙부."

"그래?"

정유는 가만히 담호를 바라보았다. 그 호수처럼 차분하게 가라앉은 눈길에 담호는 어쩔 줄 몰라 하며 고개를 숙였다.

'흠, 이 아이.'

정유의 눈빛이 살짝 빛났다. 마침 식사를 마치고 산책 중이었다. 우연히 담호를 보고는 가까이 다가갈 때 마침 그가 중얼거리는 소리를 엿들을 수가 있었다.

'무슨 일이 있는 걸까?'

정유는 담호가 그렇게 말한 이유가 궁금했지만 직접적으로 묻지 않았다.

"흠, 무슨 생각을 그리 깊게 했기에 예까지 온 것도 몰랐지?"

정유는 다정한 미소를 지으며 담호 가까이 다가왔다. 담호의 낯이 빨갛게 달아올랐다.

정유가 빙긋 웃으며 말했다.

"어제부터 네 얼굴에 너무 홍조가 끼는구나. 이러다가

소홍자(小紅子)라는 별명이 붙겠다."

"차라리 그 별명이 낫겠어요."

담호가 불퉁거리듯 말했다.

"음?"

정유는 고개를 갸웃거렸다. 역시 아무래도 이 귀여운 소년에게 뭔가 일이 있는 게 분명했다. 정유는 그의 어깨를 다독이며 입을 열었다.

"그렇게 답답할 때는 무슨 일인지 속 시원하게 털어놓는 것도 한 방법이란다. 너도 잘 알지? 이 숙부의 입이 한없이 무겁다는 것을 말이다."

담호는 정유를 쳐다보았다.

입이 무거운지 가벼운지는 알지 못했지만, 그래도 부친인 담우천이 얼마 전 나찰염요와 이야기를 나누면서 정유에 대해 평가했던 내용은 잊지 않고 있었다.

-신의(信義)가 있는 친구다. 결코 형제들의 뒤를 칠 인물은 아니라고 생각한다.

담호는 잠시 망설였다.

누군가에게 이야기하고 싶기도 했지만, 반면 그 누구에게도 발설하고 싶지 않기도 했으니까.

그런 담호를 물끄러미 내려다보던 정유가 불쑥 물었다.

"화가 난 거니?"

담호는 고개를 저었다.

"아뇨."

"그럼 답답한 거야?"

"아마도요."

"누가 널 알아주지 못해서?"

"아뇨."

"하고 싶은 말이 있는데 할 수 없어서?"

"그건 잘 모르겠어요."

"남에게 들키면 안 되는 일을 저지른 거니?"

"……."

담호는 대답하지 못했다. 정유는 잠시 생각하다가 다시 묻기 시작했다.

"아빠가 아시면 혼나는 일이야?"

"혼은…… 나지 않을 것 같아요."

"그럼 나쁜 일을 한 건 아니네."

"네. 그건…… 작은엄마가 나쁜 일이라고 하지 않으셨어요."

'작은엄마?'

"작은엄마가 뭐라고 하셨는데?"

"이제 어른이 되었다고…… 축하한다고요."

'오호.'

정유는 무슨 일인지 대충 감을 잡았다. 하지만 그는 짐짓 모른 척하면서 계속 질문을 던졌다.

"그런데 왜 답답해하고 부끄러워하는데?"

"그건……."

"작은엄마 말고 또 다른 누군가가 본 거야?"

"……."

이번에도 담호는 대답하지 않았다. 정유는 턱을 매만지며 생각했다.

'이미 작은엄마가 알고 있으니 새삼스레 큰엄마가 알아도 상관없는 일이다. 아빠가 알아도 혼나지 않을 거라고 했고. 그럼 유운각에 또 누가 있더라?'

문득 가끔씩 화평장에 놀러 와서 유운각에 눌러앉던 소녀 한 명이 떠올랐다.

나이에 어울리지 않게 성숙하고 아름다운 소녀. 어젯밤 식사 자리에서 그 이름이 올라오는 바람에 담호가 얼굴을 새빨갛게 물들인 채 고개를 푹 숙여야 했던 소녀.

정유는 나지막한 소리로 물었다.

"설마 소홍이 본 거야?"

이내 담호는 울상이 되었다.

'하아.'

정유는 저도 모르게 소리 없이 웃었다.

담호가 왜 이렇게 답답해하고 울상을 짓는지, 왜 죽고

싶다고 중얼거렸는지 이제야 알아차린 것이다.

"그건 부끄러운 일이 아냐."

정유는 담담한 어조로 말했다. 담호는 고개를 푹 숙인 채 묵묵히 그의 이야기를 들었다.

"그건 소년에서 어른이 되어 가는 과정에서 나오는 자연스러운 현상이지. 나도 당연히 겪었는데 뭐."

정유도 겪었다는 말에 담호는 저도 모르게 고개를 들어 그를 쳐다보았다. 정유는 쓴웃음을 지으며 말을 이었다.

"누구에게도 말하면 안 된다. 그동안 쭉 감추고 있었던 내 과거 이야기를 하나 해 줄 테니까. 맹세하면 말하지."

"맹세할게요."

"하늘에 대고 땅에 대고, 부모님에 대고?"

"네. 하늘에 대고 땅에 대고 부모님에 대고 맹세할게요. 그 누구에게도 말하지 않겠어요."

"딱 너만 했을 때의 이야기란다. 내가 유년 시절을 보낸 곳은 태홍각(太紅閣)이라는 기루(妓樓)였는데, 그때는 너보다 키가 반 뼘 정도 작았고 몸도 그리 튼튼하지 못했지. 그래도 성에 관해서는 남들보다 일찍 깨우쳤단다. 아무래도 살아가는 환경이 남달랐으니까."

정유는 게서 잠시 말을 끊었다가 연초 한 모금을 필 정도의 시간을 두고 다시 천천히 말을 이어 나갔다.

3. 정유

정극신에게 버림을 받은 갓난아기를 품에 안은 유모는 항주에서 멀리 떨어진 북단의 고성(高城)에서 터를 잡았다. 유모는 정극신이 헤어지면서 준 돈을 바탕으로 기루 하나를 샀는데, 그게 바로 태홍각이었다.

기루의 주인이 된 유모는 기녀들의 관리까지 맡게 되면서 왕대고(王大姑)라는 별명으로 불렸다.

그리고 갓난아기는 분칠 냄새와 술 냄새로 가득 찬 그곳에서 성장하여 어엿한 태극천맹의 무인이 되었다.

"고추에 털도 나지 않고 너처럼 아직 몽정도 하지 않는 나이였지만, 그래도 눈이 달려서 볼 건 다 보고 귀가 있어서 들은 건 다 들었지. 사내와 계집이 어떻게 한 몸이 되는지도 알게 되었고, 또 어떻게 해야 여인들을 흥분시키는지도 알 수 있었지. 그러던 어느 날이었단다."

정유는 게서 잠시 말을 멈추고 하늘을 올려다보았다. 맑고 깨끗한 하늘이었다. 순박하고 순진하기만 했던 그 어린 시절이 절로 떠오르는, 그런 새하얀 하늘이었다.

그렇게 한동안 하늘을 쳐다보던 정유는 다시 담호를 돌아보았다. 어느새 담호는 부끄럼도 잊은 채 눈을 동그랗게 뜬 채 정유를 쳐다보고 있었다. 정유는 그런 담호의 어깨를 다독이며 다시 입을 열었다.

"나는 평소 날 예뻐해 주고 귀여워해 주던 기녀 누나 방으로 찾아가서 당당하게 말했지. 지금 당장 누나와 자고 싶다고, 나도 이제 어른이 되었다고, 좋아하는 누나와 사랑을 나누고 싶다고 말이야."

"정말요?"

담호가 깜짝 놀라 물었다. 정유는 고개를 끄덕였다.

"그래. 확실히 지금 생각해도 뻔뻔하고 어이가 없는 행동이기는 했지."

"그래서요?"

"누나 역시 지금의 너처럼 두 눈을 동그랗게 뜬 채 어처구니없다는 듯이 나를 내려다봤단다. 그리고는 피식 웃더니 '좋아. 어디 한번 해 봐'라고 말하더구나. 그래서 나는 누나와 함께 침상에 누웠지. 그때까지만 하더라도 나는 다른 손님들처럼 이 아름다운 누나를 행복하게 만들 자신이 있었단다. 그런데 정작 옷을 벗으니까 갑자기 겁이 나고 두려워지면서 아무것도 할 수가 없더구나. 심지어 내 고추는 번데기보다도 더 작게 쪼그라들었고 말이야."

정유는 킥킥 웃으면서 말했다.

"아, 알 것 같아요."

담호가 중얼거렸다.

"진짜 부끄러우면 그렇게 되더라고요, 저도."

담호는 조금 전의 기억을 떠올렸다.

소홍이 이불을 들치기 전까지만 하더라도 그의 바지 앞섶은 크게 부풀어 있었지만, 몽정한 걸 알고 난 후에는 거짓말처럼 쪼그라들었다.

"그래. 사내들은 다 그런 거란다."

정유는 유쾌한 표정을 지으며 말을 이었다.

"어쨌든, 그때 나는 그 어느 때보다도 부끄럽고 창피했지. 누나 앞에서 두 번 다시 고개를 들지 못할 것만 같았거든. 하지만 그것도 잠깐뿐이었어. 시간이 지나고 세월이 흐르면서 그건 농담처럼 웃고 넘어가는 작은 소동에 불과하다는 걸 알게 되었지."

담호는 곰곰이 생각하다가 물었다.

"그럼 그 누나와 잘 지내셨어요?"

"물론이지."

정유는 활짝 웃으며 말했다.

"지금도 술 좀 들어가면 그때 이야기를 하거든. 오늘 내가 이 소악마에게 잡아먹히는구나, 하고 잔뜩 기대했다면서 말이지. 뭐, 그때나 지금이나 늘 나를 귀여워해 주는 누나이니까, 외려 그때의 당찬 나를 더 귀엽게 생각했을지도 몰라. 그리고……."

정유는 담호의 얼굴에 제 얼굴을 가까이 들이대며 말을 이었다.

"소홍 누나도 너를 더 귀엽게 생각할지도 모르고."

"설마요."

담호는 얼굴을 새빨갛게 물들인 채 뒤로 물러나며 말했다.

"그야 모르는 일이지."

정유는 다시 허리를 펴며 말했다.

"요컨대, 내가 하고 싶은 말은 그거야. 먼저 나서서 부끄럽게 행동했던 나도 이렇게 훌륭하고 대단한 어른으로 성장했는데, 자연적인 현상에 불과한 몽정이 들킨 것 때문에 죽고 싶어 할 이유는 전혀 없다는 거지. 그리고 애당초 부끄러워할 것도 없고. 아니, 외려 떳떳해야지. 이제 어른이 되었으니까."

"하지만 매번 이렇게 잠을 자다가 몽정하는 건 싫어요."

"그건 시간이 해결해 준단다. 네가 조금 더 나이를 먹게 되면, 그리고 제대로 여자를 사귀게 되면 그때는 두 번 다시 몽정 같은 거 하지 않을 거야. 애당초 몽정이라는 게 소년이 어른이 되어 가는 과정의 통과 의례 같은 것이니까."

"그런가요?"

"그래. 이 화평장에서 가장 올바르고 정직한 숙부 말을 믿지 못하면 또 누구 말을 믿을 수가 있겠니?"

"하하."

정유의 너스레에 담호는 저도 모르게 웃음을 터뜨렸다. 정유도 따라 미소를 지으며 말했다.

"그래. 그렇게 웃어야지. 그게 사내라는 거야. 이것저것 가슴에 쌓인 것들 훌훌 털어 버리고 활짝 웃을 줄 알아야 진정한 사내란다."

그렇게 말하던 정유의 표정에 문득 희미한 그늘이 내려앉았다.

'이것 참. 나도 아직 제대로 하지 못하는 걸 이 어린 녀석에게 하라고 주문하고 있으니, 원.'

그는 씁쓸한 미소를 지으며 다시 입을 열었다.

"어쨌든 이제 두 번 다시 죽고 싶어, 같은 소리는 하는 게 아니다? 알겠지?"

담호가 어색한 표정을 지었다.

"들으셨어요?"

"그래, 들었다. 워낙 내 귀가 밝아야지."

"네. 그런 말, 두 번 다시 하지 않을게요."

담호는 머뭇거리다가 말을 이었다.

"그런데 정 숙부는 죽고 싶다고 생각한 적이 단 한 번도 없으셨어요?"

정유는 그 뜻밖의 질문에 움찔거렸다.

왜 죽고 싶다고 생각한 적이 없겠는가. 지금껏 살아오

는 동안 감당할 수 없는 현실에 부딪치고 벽에 가로막혀 아무것도 할 수 없을 때가 어디 한두 번이었겠는가. 심지어 엊그제만 하더라도 그런 생각을 하지 않았던가.

하지만 아직 세상 물정 모르는 이 어린아이에게 굳이 그런 이야기까지 하고 싶지는 않았다. 정유는 잠시 생각하다가 입을 열었다.

"이것도 꼭 비밀을 지켜 줘야 한다."

담호는 가슴을 내밀며 말했다.

"하늘과 땅과 부모님에 대고 맹세할게요."

"그래."

정유는 잠시 생각을 정리하다가 입을 열었다.

"어린 시절의 나는 지금과는 달리 사악하고 못된 구석이 넘쳐흘렀단다. 저 기녀 누나와의 일도 그랬고…… 아무래도 기루에서 살다 보니까 보고 배운 것들이 다 그랬거든. 그래, 변명이기는 하다."

정유는 살짝 콧잔등을 찌푸리며 말을 이었다.

"누나와 그런 일이 있고 얼마 지나지 않아서 나는 평소 마음에 두고 있던 동네 여자아이를 데리고 으슥하고 구석진 곳으로 갔단다. 이번에는 반드시 성공할 거라고 단단히 다짐한 상태로 말이야."

"으음."

담호는 살짝 쑥스럽고 부끄러운 표정을 지었다. 하지만

계속 이어지는 정유의 말에 더욱 집중하며 이야기를 들었다.

"그리고 평소 훔쳐보고 몰래 엿들었던 대로 그 여자아이에게 못된 짓을 하기 시작했지. 순진하고 아무것도 모르는 여자아이는 그저 벌벌 떨기만 하다가 이윽고 크게 울음을 터뜨리며 내 뺨을 후려치고 도망갔단다. 나는 뺨을 감싸 쥔 채 영문을 몰라 어리둥절했단다. 기루에서는, 기녀 누나들은 다 좋아했었는데 왜 저 아이는 저렇게 발작하듯 도망친 것일까, 하고 말이지."

"에휴."

담호는 저도 모르게 한숨을 내쉬었다. 정유는 담호를 보며 싱긋 웃었다.

"너는 그녀가 왜 그랬는지 알겠니?"

"물론이죠."

담호는 어깨를 으쓱거리며 말했다.

"서로 좋아하고 사랑하는 사이가 아니면 그런 건 해서는 안 된다고 배웠거든요. 그러니까 그 여자아이는 아직 정 숙부를 좋아하거나 사랑하지 않았던 거예요. 그런데 정 숙부는 먼저 그 사실을 확인도 하지 않고서 무작정 밀어붙였으니까 뺨을 얻어맞을 만도 하죠."

"호오, 잘 알고 있구나. 그래, 그런 건 대체 누가 가르쳐 주었니?"

"작은엄마가요."

"그렇구나. 정말 좋은 엄마네. 앞으로 잘 모셔야 한다."

정유는 계속해서 말을 이어 나갔다.

"어쨌든 나는 기루로 돌아와 왕대고에게 이야기했지. 그리고 이번에는 왕대고에게 흠씬 얻어맞았단다. 내가 언제 널 그리 키웠냐면서, 왕대고는 엉엉 울면서 나를 때렸지."

정유는 당시를 회상하듯 눈을 가늘게 뜨며 말했다.

"그때 정말 무지막지하게 얻어맞았지. 그리고 왕대고에게 처음 얻어맞은 거기도 하고."

담호는 알겠다는 듯이 고개를 끄덕이며 말했다.

"좋은 유모시네요."

담호의 말에 정유는 옅은 미소를 입가에 매달며 고개를 끄덕였다.

"그래. 좋은 유모란다. 게다가 지금은 다 늙어서 힘이 하나도 없지만, 당시만 하더라도 호랑이 한 마리 정도는 너끈하게 때려죽일 정도의 팔 힘을 가지고 있던 유모였지. 그런 손으로 어린 나를 그렇게 때렸으니……."

정유는 당시의 장면이 눈에 선한지 자기도 모르게 고개를 설레설레 흔들다가 다시 입을 열었다.

"그 후로 그 여자아이에게 사과는 했지만 그래도 얼마 동안은 그녀와 눈도 마주치지 못했지. 그때 정말 죽고 싶었단다. 내가 그녀에게 하려고 했던 행동이 얼마나 못되고 나쁜 것인지 알게 되었으니까."

"그런 일이 있었군요."

"그래. 그런 일이 있었단다."

정유의 이야기는 게서 끝났다.

물론 그 뒷이야기는 아직 남아 있었다. 몇 년 지나지 않아 성에 눈뜬 그 동네 소녀가 이번에는 먼저 정유에게 달라붙었고, 결국 그녀로 인해 정유는 동정을 떼게 되었다는 후일담(後日譚)이 남아 있기는 했다.

하지만 정유는 굳이 거기까지 담호에게 이야기하지 않았다. 정유가 담호에게 해 주고 싶은 말은 바로 딱 거기까지였으니까.

"고맙습니다."

담호는 깍듯하게 말했다.

"정 숙부 덕분에 마음이 한결 가벼워졌어요. 앞으로 죽고 싶어 같은 소리는 절대로 하지 않을게요."

"그래. 그럼 됐다. 이 올바르고 정의감 투철한 숙부가 영원히 감추고 싶었던 어린 시절의 이야기를 한 보람이 있구나."

"헤헤."

담호는 웃으며 말했다.

"그래도 참 대단하세요. 그 못되고 나쁜 꼬마 아이가

이렇게 훌륭하고 대단한 어른이 되었으니까 말이에요."

정유가 쓴웃음을 흘리며 탄식하듯 말했다.

"아니, 어째 너는 말하는 모양새가 네 아빠가 아니라 점점 화 숙부를 닮아 가는 게냐?"

담호가 머리를 긁적이며 웃었고, 정유도 웃었다.

그렇게 활짝 웃는 두 사람의 머리 위에는 모처럼 티 없이 맑은 하늘이 펼쳐져 있었다.

6장.

반면교사(反面教師)

날고 기어 봤자 결국 어린아이다.
이리 치켜 주고, 저리 달래 주면 결국 내 뜻에 따라 움직일 수밖에 없는 게야.
그러니 앞으로도 잘 부탁하마, 내 어린 종자(從子)여.

1. 알현(謁見)

정극신이 살해당하고 철목가 무리들이 철수한 지도 사흘이 지났다. 또한 성도부 전역을 불태울 것 같았던 화마(火魔)를 잡은 지도 사흘이 지났다.

성도부 관아는 그날의 화재로 손실된 건물들을 복구하고 이재민(罹災民)들의 신병(身柄)을 확보하느라 정신이 없었다.

그런 가운데 화재 복구에 보태 쓰라는 성금이 곳곳에서 모여들었다. 성도부의 거상(巨商)들은 물론이거니와 무림의 정보 조직인 황계, 고리업체인 금룡상회, 심지어 강만리의 화평장에서도 적지 않은 성금을 보냈다.

그렇게 모여든 수만 냥의 성금을 관리하고 적재적소에 배분하는 일을 맡은 사람은 추관 학여춘이었다.

그는 성금의 일 할을 떼서 지부대인이나, 통판 등에게 바쳐야 할 상납금으로 챙겨 두었다. 그리고 남은 성금에서 동료나 하급 관리들에게 줄 떡고물로 다시 일 할을 뗐다.

남들이 보기에는 탐관오리라 지탄받아도 할 말이 없었다.

하지만 그래도 학여춘이 추관 자리에 앉게 되면서 이전에는 삼 할씩 떼던 상납금과 떡고물을 일 할까지 줄일 수가 있었다.

관아의 특성상, 상납금이나 떡고물이 없어질 수는 없었다. 상납금을 받은 통판이나 지부대인 역시 출세나 자리 보전을 위해서 다시 자신들의 윗사람에게 상납해야 했다.

만약 학여춘이 상납금을 바치지 않는다면, 그들은 어떻게 해서든지 다른 곳에서 다른 자들에게서 상납금을 받아 채울 것이다.

또한 동료와 수하들에게 돌리는 떡고물이 없다면 동료의 도움을 받기 힘들어지고 수하들은 태만해진다.

아무리 학여춘이 명관이라 하더라도 그를 추종하는 몇몇 무리를 제외하고는 다른 모든 관원들로부터 경시를 당할 게 분명했다.

즉, 상납금과 떡고물은 관아의 모든 행정과 사무가 제대로 돌아갈 수 있도록 해 주는 기름 역할이었다.

학여춘은 그렇게 상납금과 떡고물을 뗀 나머지 성금을 가지고 건물을 복구하는 비용, 이재민들의 식대, 임시 거주 비용으로 나눴다.

사흘 전의 화재로 발생한 이재민의 수는 무려 천 명에 달했다. 학여춘은 객잔 십여 곳을 통째로 빌려 그들을 분산, 수용했으며 그들이 먹고 자는 최소한의 비용을 관아에서 지출했다.

한편으로는 목수와 대장장이 등 성도부의 인력을 총동원하여 무너지고, 불에 탄 건물들을 새로 복구하는 데 총력을 기울였다.

그리하여 사흘 내내 성도부의 거리는 나무 자르는 소리, 망치질하는 소리, 인부들을 닦달하는 고함으로 가득 찼다.

"시끄럽기 그지없구나."

위천옥은 혀를 찼다.

새벽같이 들려오는 망치질 소리에 단잠을 설친 탓에, 위천옥의 표정은 썩 좋지 못했고 눈빛은 흉흉하게 빛났다.

허 노야가 얼른 눈치를 주자 경비 무사가 서둘러 창을 닫았지만, 여전히 거리에서 들려오는 소음은 막지 못했다.

"그래. 왜 찾아왔지, 이 아침부터?"

위천옥은 짜증 섞인 목소리로 물었다. 허 노야가 공손

하게 허리를 숙이며 대답했다.

"어제까지 푹 쉬셨으니 오늘부터 슬슬 업무를 보셔도 되지 않을까 싶어서 찾아왔습니다."

"푹 쉬어? 내가?"

위천옥은 어이가 없다는 투로 말했다.

"저 시끄러운 소리는 들리지 않는 거야? 새벽부터 시작해서 한밤중까지 들린다고. 제대로 잠도 자지 못하는 건 물론, 온종일 들려오니까 신경이 곤두선다니까."

말을 하면서 짜증이 더 밀려든 듯 위천옥의 목소리는 점점 더 높아지고 거세졌다.

"내가 지내던 곳에서는 새소리, 물소리, 바람소리밖에 들리지 않았어. 아니, 그간 대륙을 돌아다니면서 이렇게까지 시끄러운 곳은 성도부밖에 없었다고!"

"죄송합니다."

허 노야는 무작정 사과부터 했다.

"며칠 전 일으킨 화재로 손실된 건물들을 복구하느라 다들 바쁘게 움직이는 탓입니다. 재작년인가 새로 추관이 된 자의 일처리가 상당히 민첩합니다."

"흥! 그럼 그 추관인가 뭔가 하는 자를 죽이면 저 시끄러운 소리가 멈추는 거야?"

"그건 아닙니다. 이미 공사는 시작되었고, 한 번 시작된 공사는 끝날 때까지 멈추지 않을 테니까요."

"쳇! 그럼 내가 성도부를 떠날 때까지 이 지겨운 소리를 계속 들어야 한다는 거야?"

"죄송합니다."

허 노야는 허리를 숙인 채 연신 사과했다. 위천옥은 그런 허 노야의 정수리를 노려보다가 결국 길게 한숨을 내쉬며 말했다.

"그럼 무슨 일을 해야 한다는 거야?"

허 노야가 기다렸다는 듯이 대답했다.

"우선 소야께 충성을 바치는 유령교의 교도들을 만나서 치하를 해 주셔야 합니다. 그리고 이곳 성도부와 인근 지역에 터를 잡고 은신 중인 사마외도의 노마들을 접견하시고 그들과 교분(交分)을 쌓으셔야 합니다."

위천옥의 얼굴에는 귀찮다는 기색이 역력했다.

"그래. 교도들을 만나서 그간 그들의 공로를 치하하는 건 내 임무라고 치자. 하지만 사마외도의 늙은이들을 만나서 교분을 쌓으라니. 그 지루하고 불쾌하고 쓸데없는 일을 내가 왜 해야 하지?"

허 노야는 속으로 길게 한숨을 내쉬었다.

'정말이지, 뭐가 똥인지 된장인지 일일이 말해 줘야 하다니. 이거야 갓난아기를 키우는 것도 아니고 원.'

그는 내심 혀를 차고는 정중하게 말했다.

"사마외도의 노마들과 교분을 쌓는 이유는 단지 그들

의 힘이 필요해서가 아닙니다. 모든 사마외도로부터 인정을 받고 존경을 얻으며 그들의 추종을 받기 원한다면 반드시 노마들의 후원이 필요합니다. 노마들 모두 각자 자기들의 지파나 세력을 지니고 있으니까 말입니다."

"내가 굳이 그런 귀찮은 짓을 해 가면서까지 모든 사마외도의 존경을 받아야 하는 이유가 뭐지? 유령교만으로는 천하일통이 힘들어서?"

"물론 그런 면도 없지는 않습니다. 하지만 우리 유령교의 힘만으로 천하일통을 한다고 해서 진정한 천하통일이 되는 건 아닙니다. 아마도 유령교의 독주에 불만을 품는 자들이 속출할 것입니다. 천하일통에 도움을 주지 못한 자들끼리 연합하여 새로운 세력을 만들 수도 있습니다."

"흥! 그래 봤자다."

"아닙니다. 그렇게 소소한 내분이 일어나기 시작하면 그건 곧 거대한 파도로 바뀌어 우리를 뒤흔들 게 분명합니다. 그 틈을 노려서 지하로 숨어든 태극천맹과 오대가문이 다시 복수의 칼날을 드러낼 겁니다."

"흠, 지금의 우리처럼 말이지?"

"그, 그렇습니다."

허 노야는 살짝 움찔거리며 말을 이었다.

"만약 지금처럼 태극천맹과 오대가문 사이에 반목이 없었다면, 아마도 우리가 그 틈을 노려 이렇게 무적가와 철목가를 붕괴하지 못했을 겁니다. 그러니 반면교사(反面教師)라고, 지금 백도의 상황을 보면서 우리는 그런 실수를 범하지 않도록 교훈으로 삼아야 합니다."

"흠."

위천옥은 마음에 들지 않는다는 듯이 고개를 외로 꼬았다. 하지만 구태여 반론이나 딴죽을 걸지 않는 것으로 보아 나름대로 허 노야의 말을 받아들이는 모양이었다.

"쳇, 정말 귀찮군."

위천옥은 눈살을 찌푸리며 투덜거렸다.

"이리도 번잡하고 귀찮은 일들이 많을 줄 알았다면 아무래도 괜히 성도부를 찾은 것 같다. 역시 나는 자연을 벗 삼아 돌아다니면서 무림의 날고 기는 무인들을 찾아 싸우는 게 적성에 맞는 것 같아."

허 노야는 차분한 어조로 말했다.

"앞으로도 그럴 시간은 많습니다, 소야."

"알았다. 알았으니까 얼른 업무를 처리하자."

위천옥이 짜증 섞인 손짓을 하며 말했다.

* * *

성도부와 인근 지역에서 모여든 수백 명의 교도들이 흥분과 초조함을 감추지 못한 얼굴을 한 채 장원 앞마당까지 줄지어 서 있었다.

그동안 말로만 들었던 유령교의 소교주를 직접 알현(謁見)하고 그에게 치하를 받을 기회가 온 것이다. 당연히 터질 것처럼 가슴이 뛰고 손발에 땀이 흥건할 수밖에 없었다.

그들에게 있어서 교주나 소교주는 가히 신(神)과 같은 존재였다. 그렇기에 교주와 소교주를 위해서 자신들의 목숨을 바치는 걸 영광으로 생각했고 또 그렇게 죽으면 반드시 천당(天堂)에 간다고 믿었다.

그 신과 같은 존재를 직접 알현할 기회가 왔다. 수백 명의 교도들은 침묵을 유지한 채 두근거리는 심장을 억지로 달래며 자신들의 차례를 기다렸다.

처음 위천옥을 알현한 이들은 유령교의 상급 지도자들이었다. 전국 각 지역에서 각각 수백 명의 신도를 이끄는 위치에 있는 지도자들이었다.

그들은 위천옥 앞에서 유령교 특유의 표식을 하고 기원을 올린 다음 오체복지(五體伏地)했다. 위천옥은 말없이 지팡이를 든 채 그들의 축원을 지켜보았다.

지금 위천옥은 성관(聖冠)을 쓰고 성복(聖服)을 입은 채 성장(聖杖)을 쥐고 태사의에 앉아 있었다.

유령교의 신물이라 할 수 있는 성장은 벼락 맞은 박달나무로 만든 지팡이였다. 지팡이 끝에는 용의 발톱이 조각되었으며, 그 용의 발톱은 칠원성군(七元星君)이 박힌 주먹만 한 야명주(夜明珠)를 움켜쥐고 있었다.

그 상징적인 의미나 권위를 차치하고서라도 야광주만으로도 수백만 냥의 가치를 지닌 성장이었다.

신도들의 축원이 끝난 뒤 허 노야가 유령교의 율법(律法)에 따라 그들의 공로가 무엇인지 일일이 읊은 다음 그 공로를 치하했다.

허 노야의 말이 끝나자 위천옥은 말없이 성장을 들어 오체복지한 신도들의 머리를 세 번 가볍게 두드렸고, 그것으로 교도들이 소교주를 알현하는 과정은 모두 끝나게 됐다.

교도들은 눈물을 흘리며 대청을 빠져나왔고, 그렇게 수백 명의 교도들이 번갈아 가며 대청에 들어갔다가 나오기를 반복했다.

2. 허 노야

얼마나 시간이 흘렀을까.

이윽고 교도들의 알현이 모두 끝났다.

하지만 그게 전부가 아니었다. 이번에는 유령교의 교도들이자 허 노야의 제자들이 일렬로 줄을 맞춰 대청에 들어섰다. 그 선두에는 루호가 있었고, 취표 등 일련의 형제들이 나란히 서서 위천옥을 알현했다.

"이 아이들 모두 제가 손수 키워 낸 녀석들입니다."

허 노야가 조금은 자랑스러운 듯한 표정을 지으며 말했다.

"충성심은 물론이거니와 작전 수행 능력이 뛰어나고, 무위도 상당한 수준에 올라 있는 녀석들이죠."

"흠."

위천옥은 거만한 눈길로 그들을 쓸어 보았다. 대략 이십여 명 정도 되었다. 대부분이 사내들이었지만 여인도 몇 명 끼어 있었다.

빠르게 그들의 면면을 훑어보던 위천옥의 눈길이 문득 루호에게서 멈췄다. 위천옥은 잠시 그를 바라보다가 가볍게 코웃음을 치며 말했다.

"흥! 그리 대단해 보이는 제자는 보이지 않는군. 다들 올챙이……."

위천옥은 말을 중간에서 멈췄다. 그리고 뭔가 잠시 생각하다가 다시 말을 이었다.

"올챙이들이기는 하지만 앞으로 더 발전할 잠재력은 무궁무진한 것 같아. 좋아, 다들 정진하도록."

그의 덕담에 감격한 제자들은 일제히 큰 소리로 외쳤다.

"소교주의 만수무강을 바랍니다!"

"만수무강하시기 바랍니다!"

위천옥은 아무렇게나 손을 내저었고, 그 신호에 따라 루호를 비롯한 제자들은 곧바로 퇴청했다.

"잘하셨습니다."

위천옥의 곁을 지키고 있던 청노가 허리를 숙이며 말했다.

"소야의 말씀 한마디로 인해서 앞으로 그들의 충성심은 더욱 높아질 겁니다."

"흥! 거기까지 생각해서 한 말은 아니다."

위천옥이 팔장을 끼며 말했다.

"단지 그래도 내 수하들인데 너무 사실대로 말해서 기를 꺾는 건 그리 좋지 않겠다 싶었을 뿐이다."

"그게 명군(名君)이 되어 가는 과정이라고 생각합니다. 적에게는 무자비하지만 아군에게는 한없이 자애로운……."

"쓸데없는 소리."

위천옥은 매섭게 청노의 말을 잘랐다.

"그나저나 백노는 왜 아직도 돌아오지 않는 거지?"

청노는 움찔거렸다. 위천옥은 싸늘한 눈빛으로 그를 노려보며 물었다.

"설마 도망친 건 아니겠지?"

"그럴 리가 있겠습니까?"

청노는 고개를 숙이며 대답했다.

"아직 지시를 받은 임무를 완수하지 못했거나 무슨 일을 당했거나 둘 중의 하나겠죠."

"물론 후자의 경우일 가능성이 크고?"

"백노의 능력을 믿지 못하는 건 아니지만…… 아무래도 후자일 가능성이 큰 것 같습니다."

"흠, 아무래도 마차 안의 계집들이 평범하지 않다고 느껴지기는 했다만."

가만히 듣고 있던 허 노야가 눈빛을 빛내며 물었다.

"마차 안의 계집들은 또 무슨 말씀이십니까?"

"아, 별건 아닙니다."

청노가 위천옥을 대신하여 며칠 전 있었던 상황에 관해서 설명했다.

급하게 마차를 모는 한 사내를 보고 위천옥이 흥미를 느껴 백노에게 추적을 명했다는 것과 아직 백노가 돌아오지 않는다는 것에 대해 이야기했다.

그리고 모르기는 몰라도 그 마차 안에는 제법 매서운 기세를 풍기는, 정체를 알 수 없는 여인들이 타고 있었던 것 같다는 추측도 함께 이야기했다.

'호오, 매서운 기세를 풍기는 여인들이라…….'

허 노야의 눈빛이 매섭게 빛났다. 청노에게서 이야기를 듣자마자 한 장원의 여인들이 떠올랐던 것이다.

확실히 그 장원의 여인들은 위천옥이 흥미를 느낄 정도

로 매서운 기세를 뿜어냈으며, 또한 각양각색의 기질을 지니고 있었다.

'만약 백노가 화평장 사람들을 추적해서 그곳까지 갔다면 그가 지금까지 돌아오지 않고 있는 게 설명이 된다.'

확실히 화평장 사람들에게 사로잡혔을 가능성이 크니까. 아무리 백염살귀의 능력이 출중하다 하더라도 무림오적을 상대로 빠져나오지는 못할 테니까.

거기까지 생각한 허 노야는 문득 고개를 갸웃거렸다.

'그런데 화평장 놈들은 백노의 신분과 정체를 모르는 상태에서 지금까지 그를 억류하고 있을까?'

아니, 아닐 것이다.

분명히 백노의 정체를 캐묻고 왜 이곳까지 쫓아왔는지 알아내고자 할 것이다.

하지만 위천옥의 지시를 받은 백노는 그들이 같은 편인지 모른 채 쉽게 입을 열지 않을 테고, 화평장 측에서는 무슨 짓을 해서라고 그 굳게 닫힌 입을 열고자 할 게 분명했다.

'담우천이라는 녀석이 사선행자의 행수라고 했지, 아마?'

사선행자라면 사마외도의 절정고수들을 상대하기 위해 만들어진 정파 연합의 특수 조직이었다.

당연히 그들은 고문도 할 줄 알았다. 그것도 일반적인

평범한 고문이 아닌, 그 누구라도 한 번 겪게 되면 입을 열지 않고 배길 수가 없게 만드는 고문.

'백염살귀도 그 고문을 이기지 못할 것이다. 모든 걸 토해 냈을 게 분명하다. 그리고 백노의 신분과 정체를 알게 된 화평장 측은 반드시 당황했을 것이고…….'

알고 보니 같은 편, 그것도 자신들보다 까마득하게 높은 위치에 있는 인물이 보낸 사람인 게다. 당황하지 않을 수가 없었을 것이다.

하지만 이미 때는 늦었다. 모진 고문 끝에 백노는 폐인이 되었을 확률이 높았다. 위천옥은 자신이 보낸 수하가 그런 폐인이 된 걸 용서할 리가 없었다.

'물론 놈들이 소야의 성정을 전혀 알 리 없지. 하지만 그래도 선을 넘었다는 것만큼은 뼈저리게 느꼈을 터…….'

가장 좋은 방법은 백노를 죽이고 없던 일로 하는 것이다. 백노가 화평장까지 쫓아온 흔적을 모두 지워 버리면, 그 누구도 화평장을 의심하지 않을 테니까. 그 마차와 화평장 간의 연결 고리를 떠올릴 사람은 아무도 없을 테니까.

'하지만 이 몸이 있단 말이지.'

허 노야는 음흉한 미소를 지었다.

'아주 좋은 건수 하나 잡았는데, 이거.'

물론 당장 위천옥에게 이야기해 줄 수도 있었다.

하지만 허 노야는 굳이 그럴 필요를 느끼지 않았다. 우선 허 노야와 백염살귀는 그리 친한 관계가 아니었고, 백염살귀가 죽었다고 해서 큰 타격을 받을 일도 없었다.

무엇보다 위천옥에게 이야기해서 괜히 무림오적과 다툼을 만드는 것보다는 차라리 무림오적의 고삐를 쥘 만한 비밀 하나를 챙겨 두는 게 훨씬 이득이었다.

'흠, 어떻게 써먹어야 제대로 써먹었다고 소문이 날까?'

허 노야가 내심 싱글거리며 희희낙락하고 있을 때였다.

"그럼 청노와 혈노가 가서 백노를 찾아와."

위천옥이 그를 따르는 노인들에게 지시를 내리고 있었다. 허 노야는 상념에서 퍼뜩 깨어나 무슨 상황인지 살펴보았다. 위천옥의 말이 계속해서 이어지고 있었다.

"성도부는 길어야 앞으로 이삼 일 정도 더 있을 거니까 그 안에 해결해. 늦어도 이틀, 시간 주겠어. 그 시간이라면 백노를 찾을 수 있겠지?"

"찾아오겠습니다."

청노가 허리를 숙이며 말했다.

"존명."

위천옥이 앉아 있는 태사의 밑에서 희미한 대답이 흘러나왔다. 혈노, 혈혼암귀의 음성이었다.

'이런, 거기 있었구나.'

허 노야는 움찔거렸다.

언제나 느끼는 일이지만 혈혼암귀는 불쾌하고 기분이 나쁜 존재였다. 어디든 몸을 은폐하고 숨을 수 있는 그의 능력도 능력이거니와, 무엇보다 그 기척을 전혀 알아차릴 수 없다는 점에 있었다.

"뭣들 해? 얼른 가 보지 않고."

위천옥이 인상을 찡그리며 말했다.

청노는 다시 한번 허리를 숙인 후 대청을 빠져나갔다. 허 노야는 이목을 집중했지만 혈혼암귀가 움직이는 기척은 눈치채지 못했다.

"그럼 이제 백노 건은 정리가 된 것 같고."

위천옥이 말했다.

"그래, 허 영감. 성도부에 눌러앉아 있다는 늙은이들과의 접견은 언제부터 시작하는 거야?"

허 노야는 정신을 차리고 대답했다.

"만찬(晩餐) 약속이 잡혀있습니다. 그러니 이제 조금 쉬셔도 됩니다."

"그래? 그럼 다행이고. 안 그래도 이 쓸데없이 답답하고 입기 힘든 옷, 짜증 났거든."

위천옥은 성관과 성복을 벗었다. 허 노야가 얼른 눈짓을 보내자, 호위무사가 서둘러 다가가 무릎을 꿇고 정중하게 옷과 모자를 받아 들고 물러났다.

위천옥은 지팡이까지 건네려다가 마음이 바뀐 듯 요모조모 살피며 중얼거렸다.

"이건 그래도 들고 다니기 나쁘지 않네. 용의 발톱 조각이 제법 그럴싸해."

허 노야가 난감한 표정을 지으며 말했다.

"하지만 본교의 신물인지라 밖으로 들고 나가시면 안 됩니다."

"나라고 해도?"

"교주께서도 들고 나가지 못하십니다."

"칫. 정말 안 되는 것도 많네."

위천옥은 말과는 달리 순순히 지팡이를 건네주었다. 또 다른 호위무사가 경건하게 지팡이를 받아 들고 물러갔다.

위천옥은 허 노야를 돌아보며 물었다.

"만찬 때까지 내 시간이라 이거지?"

"그렇습니다, 소야."

"그럼 십삼매와 소홍을 불러와. 지금 당장 만나고 싶어."

"그리하겠습니다. 바로 사람을 보내 그녀들을 불러오겠습니다."

허 노야는 공손하게 대답했다.

3. 청노

'응?'

위천옥은 갸웃거렸다.

'어라, 왜 이리 순순하게 내 요구를 들어주지?'

늘 위천옥의 요구에 제동을 걸거나 딴죽을 걸거나 혹은 조건을 내세우던 허 노야였다. 이렇게 순순히 자신의 요구를 들어주는 건 이곳 성도부에 와서 처음 있는 일이었다.

'흠, 그래도 양심은 있나 보구나. 내가 이렇게 고생하는 걸 보고 나름대로 신경을 써 주는 것 같군.'

위천옥은 씨익 웃었다. 상대가 그리 나온다면, 자신도 뭔가 해 줘야겠다는 생각이 들었다.

위천옥이 말했다.

"아, 그리고 또 뭐더라? 그래, 무림오적이라는 사람들 말이야. 그들도 한번 만나야 한다고 했지?"

"귀찮으시면 만나지 않으셔도 됩니다."

허 노야는 입가에 미소를 숨긴 채 대답했다. 위천옥이 의아하다는 표정을 지으며 그를 바라보았다.

"뭐야? 꼭 그들을 만나라고 했던 건 허 영감이었잖아?"

"생각이 조금 바뀌었습니다."

"응? 어떻게?"

"그들과 연계해야 한다는 생각에 그런 말씀을 드렸습니다만 굳이 그러시지 않아도 될 것 같습니다. 그들을 제어하고 조종하는 십삼매만 확실히 잡아 둔다면, 결코 그들이 우리의 뜻과 반대로 움직이지 않을 테니까요."

"그러니까 십삼매를 만나서 그녀만 내 것으로 만든다면 무림오적인가 뭔가 하는 귀찮은 놈들은 만나지 않아도 된다?"

"바르 그겁니다."

"이상하네."

위천옥은 고개를 갸우뚱거리며 말했다.

"만약 무림오적의 위상이라는 게 겨우 그 정도라면 애당초 그들을 따로 만날 필요가 없었잖아? 십삼매야 처음부터 만나기로 되어 있었으니까. 허 영감이 그런 평범한 이치를 이제야 깨달을 리는 없고."

위천옥은 허 노야를 노려보듯 직시하며 물었다.

"그동안 뭐가 바뀐 거지?"

허 노야는 심장을 꿰뚫리는 것 같은 통증을 느꼈다. 날카롭고 예리한 살기가 가득 담긴 눈빛이었다.

'역시 내가 키운 보람이 있구나. 이렇게 냉정하게 상황을 살핀 후 내 이야기의 허점을 파고들다니 말이야.'

칭찬하고 싶었다. 자랑하고 싶었다.

하지만 지금은 그럴 수 없었다. 어떡해서든 자신의 거

거짓말을 위천옥이 믿게 만들어야 했다.

"바뀐 건 아무것도 없습니다."

허 노야는 침착하게 말했다.

"단지 그들에게 소야의 위대함을 느끼게 하고, 오만하던 그들의 콧대가 꺾이기를 바랐을 뿐입니다. 사실 근래 들어 몇 번의 성공으로 인해 자신들의 분수도 모르고 오만방자하기 짝이 없었으니까요."

"그런데?"

"이번에 정극신을 해치우면서 그들 또한 상당한 피해를 입었다고 합니다. 다섯 명이 우르르 몰려가서 정극신과 오 대 일로 싸워 놓고도 말입니다."

위천옥이 피식 웃었다.

"뭐야? 겨우 그 정도밖에 되지 않았어? 그런데도 내게 경시하면 안 된다느니, 길가의 돌멩이 취급하면 큰코다치느니 한 거야?"

"죄송합니다."

허 노야는 깊게 허리를 숙이며 사과했다.

"이 늙은이가 너무 그들을 과대평가한 모양입니다. 하도 십삼매가 호언장담하고 자신만만해하기에 저도 모르게 불안했나 봅니다."

허 노야는 한숨을 길게 쉬며 말을 이어 나갔다.

"하지만 이번 정극신과의 싸움을 통해서 그들의 현 실

력이 어느 정도인지 정확하게 파악할 수가 있었습니다. 게다가 이미 그들은 삼사십 대의 중년인, 앞으로 더 발전할 가능성은 거의 없다고 봐야 하니까요."

"흠, 확실히 삼사십 대라면 더 이상 성장하기 힘들지. 아직 약관도 안 된 나도 벌써부터 정체를 느끼고 있으니까."

"그러니까 말입니다. 그래서 소야께서 굳이 그들을 만날 필요가 없다고 결론지은 겁니다. 그들을 만날 시간에 조금 더 휴식을 취하시고 성도부를 유람하시거나 혹은 성도부의 아름다운 여인들과 시간을 보내시는 게 낫지 않을까 하고 생각했던 겁니다."

"오호, 그렇게 나를 생각해 준 거야?"

"물론입니다. 이 늙은이가 아니면 또 누가 소야를 챙겨 드리겠습니까?"

"하하. 정말 입에 참기름을 두른 것처럼 말 하나는 기막히게 잘한다니까."

위천옥이 웃음을 터뜨리며 고개를 끄덕였다.

"좋아. 허 영감이 그렇게까지 날 위한다니까 나도 조금 불편함을 감수하지. 그 사마외도의 늙고 별 볼 일 없는 마두(魔頭)들, 아주 정중하게 접대해 주겠어."

"감사합니다, 소야."

허 노야는 허리를 숙인 채 속으로 중얼거렸다.

'날고 기어 봤자 결국 어린아이다. 이리 치켜 주고, 저리 달래 주면 결국 내 뜻에 따라 움직일 수밖에 없는 게야. 그러니 앞으로도 잘 부탁하마, 내 어린 종자(從子)여.'

그는 흐뭇한 미소를 감춘 채 그렇게 위천옥 앞에서 고개를 조아리고 있었다.

반면 위천옥 역시 정체를 알 수 없는 미소를 머금은 채 허 노야의 정수리를 내려다보고 있었다.

* * *

"그러나저러나 정말 도망간 게 아닐까?"

푸른 옷을 입은 노인이 성도부 길가를 따라 북쪽으로 걸음을 옮기며 중얼거렸다.

"설령 도망갔다 하더라도 이해는 가. 나도 그 어린 애송이의 죽 끓듯 하는 변덕에 도망치고 싶은 적이 한두 번이 아니니까."

노인, 청노는 하소연을 하듯 계속해서 중얼거렸다.

"하지만 백노는 도망가도 혼자 도망가지 않을 거라고. 최소한 내게 같이 도망치자고 권유하거나 아니면 마지막 작별 인사만이라도 하고 도망쳤을 게야. 그러니 결론적으로 백노는 도망친 게 아니겠지."

길가를 오가는 행인들은 수상한 눈초리로 청노를 힐끗

보며 거리를 두었다.

하기야 혼자서 계속 비 맞은 중 염불 외듯 중얼거리는 모습은 확실히 미쳤거나 정신 나간 늙은이로 보일 수밖에 없었다.

"도망친 게 아니라면 말이지. 왜 지금까지 돌아오지 않고 있을까? 흠, 아무래도 돌아오지 못할 상황에 부닥쳤을 가능성이 크겠지? 천하의 백노가 그런 상황에 처했다는 건…… 그 마차의 주인들이 상당한 실력자라는 의미가 되겠고."

물론 청노는 미친 것도 정신이 나간 것도 아니었다. 또 혼자서 계속 중얼거리고 있는 것도 아니었다.

거리를 오가는 행인들에게는 보이지 않지만 청노의 근처에는 혈노가 모습을 감춘 채 숨어 있었다. 그리고 청노는 그 혈노에게 계속해서 말을 걸고 있었다.

"흠, 백노가 표식(表式)을 남겼으면 좋겠는데."

청노는 며칠 전 백노와 헤어졌던 그 장소를 향해 계속해서 걸음을 옮기며 중얼거렸다.

"소소한 일이다 싶었으면 표식을 남기지 않았을 테고, 뭔가 수상쩍다 싶었으면 미리 약조한 대로 우리가 알아볼 수 있는 표식을 그려 뒀을 거야. 좀 더 그를 찾기 쉽게, 후자의 경우라면 정말 좋을 것 같은데 말이지. 응? 표식이 없더라도 찾을 수 있다고?"

청노는 보이지 않는 혈노로부터 무슨 이야기를 들은 듯 시선을 제 발밑으로 향하며 말했다.

"벌써 나흘짼데? 비바람은 없었지만 그래도 엄청난 화재로 인해 곳곳이 불에 타고 또 물에 젖었는데도 아직 백노의 흔적이 남아 있겠나?"

청노는 여전히 발걸음을 하면서 가만히 귀를 기울였다. 그리고는 알겠다는 듯이 고개를 두어 번 끄덕이더니, 이내 황당하다는 표정을 지으며 저도 모르게 크게 탄식했다.

"이런!"

주위 오가는 행인들이 황급히 그의 곁에서 피했다. 마치 벌레를 보듯, 혹은 가까이 다가가면 안 될 사람을 보듯 사람들은 청노 주위를 빙 돌아 걸었다.

청노는 행인들이 그러거나 말거나 길게 한숨을 내쉬며 도리질했다.

"그러니까 그 애송이는 우리 모르게 우리에게 천리향(千里香)을 묻혀 놨다 이거야? 행여 우리가 도망가면 반드시 쫓아와 주살(誅殺)하려고?"

청노는 어이가 없다는 얼굴로 허공에 대고 주먹질을 날렸다. 행인들이 기겁하며 자리를 피했다.

"제기랄! 도대체 바로 곁에서 시중을 드는 우리조차 믿지 못하고 그런 짓을 했다니. 그게 어디 윗사람이 할 행동이냔 말이다!"

화가 날 수밖에 없었다.

천리향은 말 그대로 천리나 떨어져 있어도 냄새가 지워지지 않는 향을 가리켰다.

물론 천리(千里)라는 거리는 극히 과장된 표현이기는 하지만 확실히 상당한 거리까지 그 냄새가 지워지지 않고 남아 있어서, 무림에서는 죄인을 추격하거나 감시하는 데 매우 유용하게 사용되었다.

"어디 두고 보자고."

청노는 이를 갈며 중얼거렸다.

"그렇게 제 수하들을 믿지 못하는 애송이에게 반드시 천벌(天罰)이 떨어질 테니까. 응? 아, 물론 그렇다고 해서 그 애송이가 지금 당장 죽거나 천벌을 받아야 한다는 건 아니지. 어쨌거나 마도일통(魔道一統)의 숙원이 이뤄질 때까지는 최소한 살아 있어야 하니까 말이지. 그때까지만 이렇게 죽은 듯이 납작 엎드려 있을 생각이네. 그래, 자네도 그리 생각한다고? 당연하겠지. 한 시진이라도 놈과 같이 생활한다면 당연히 다들 그리 생각할 테니까. 그렇지. 바로 그걸세. 확실히 자네 말이 맞네."

청노가 그렇게 중얼거리며 어느 정도 화를 가라앉힐 무렵, 그와 혈노는 백노와 헤어졌던 바로 그 장소에 당도했다. 청노가 발아래께를 보며 말했다.

"그럼 이제부터 자네가 활약할 시간일세."

그 말이 떨어지는 것과 동시에 청노의 그림자가 꿈틀거리는 것 같았다.

7장.

모의작당(謀議作黨)

정신적 사랑이 있어야만 육체적 사랑을 나눌 수 있다는 건
세상 물정 모르는 아이들이나 규중심처(閨中深處)의 어린 소녀나 할 법한
생각이었다.

1. 같은 부류의 사람

"이대로 괜찮을까?"

아란은 중얼거리다가 깜짝 놀랐다. 저도 모르게 자기 속마음이 드러났던 것이다.

"응? 뭐가 괜찮지 않소?"

곁에 앉아서 차를 마시던 고굉이 그 중얼거림을 들었는지 고개를 갸웃거리며 물었다.

아란은 속으로 한숨을 내쉬었다. 하필이면 제일 귀찮은 자에게 들킨 게다.

'방심은 금물이고, 실수는 다른 사람이 없는 곳에서 하라고 했건만…….'

그녀는 속으로 혀를 차고는 겉으로는 태연하게 부인했다.

"아무것도 아니에요."

"아무것도 아니기는. 내 이 두 귀로 똑똑히 들었는데."

고굉은 은근슬쩍 그녀에게 가까이 다가와 붙어 앉으며 말했다.

"속 시원하게 털어놓아 보오. 내 이래 봬도 입 하나는 무거우니까."

'무겁기는. 물에 빠뜨리면 입만 동동 뜰 사람이.'

아란은 웃으며 말했다.

"그냥 심사가 하도 심란해서 나온 말이에요. 크게 신경 쓰지 않아도 돼요."

"흠."

고굉은 그래도 한때는 이곳 성도부의 뒷골목과 밤을 주름잡던 흑룡방의 방주였다. 더 나아가 사천 일대를 휘어잡고 군림하려는 야욕을 지닌 자이기도 했다.

그는 냉철하고 예리한 눈빛으로 아란을 바라보았다. 아란은 지렁이 스무 마리가 제 얼굴을 기어 다니는 듯한 느낌에 소름이 돋고 진저리가 났다.

"그만 보세요. 내 얼굴에 뭐가 묻은 것도 아닌데."

"아니, 묻어 있소."

"네?"

"근심과 걱정, 그 두 가지 감정이 얼굴 여기저기 다닥다닥 묻어 있구려."

"그게 무슨……."

"아니, 사실 나도 이대로 괜찮을까, 하는 생각을 종종 하오. 그래서 아란 소저의 마음을 충분히 이해하오."

"아니라니까요, 그게."

"이대로 물에 물 탄 듯, 술에 술 탄 듯 화평장 다섯 장주들이 하자는 대로 끝까지 따라가야 하느냐 하는 의문과 걱정 때문이오."

"으음."

"사실 나는 큰 욕심이 없소. 천하를 지배하거나 사마마도를 복원하고 오대가문을 멸절하는 등의 일은 애당초 내 관심 밖의 일이오. 나는 그렇게 대단한 인물이 아니오. 누구보다도 내가 제일 잘 알고 있소."

"그야 그렇죠."

"그래서 점점 겁이 나고 두려워지고 있소. 이러다가는 뱁새가 황새 따라가다가 가랑이 찢어진다는 말처럼 내 가랑이가 찢어질 상황에 부닥칠 테니까."

"하지만 그렇게 말씀하시기에는, 이틀 전 회합에서 너무 좋아하셨잖아요? 황궁무고니, 북해빙정이니 하고 말이에요."

"그야 그 자리의 분위기에 휩쓸리는 바람에 나도 모르

게 그렇게 흥분한 것이오. 소저도 분명 그때는 상당히 좋아했던 걸로 아는데."

"그건 그러네요. 확실히 분위기에 휩쓸린 감이 없지는 않아요."

"그렇소. 시간이 지나 이렇게 냉정을 되찾고 곰곰이 생각해 보면 모든 게 내 뜻대로 되지 않을 거라는 걸 쉽게 깨달을 수가 있소. 우선 황궁무고가 우리에게까지 열릴 가능성은 거의 없소. 기껏해야 저들 다섯 형제, 그게 전부일 것이오."

"맞아요. 아무리 황태자의 권한이라고는 하지만 애당초 황궁무고라는 게 그렇게 간단하고 쉽게, 아무에게나 열리는 게 아니니까요. 황태자가 최선의 노력을 한다고 가정했을 때, 그 황궁무고의 혜택을 받을 수 있는 사람의 수는 겨우 서넛, 많이 잡아야 다섯 정도에 불과하겠죠."

"소저도 그리 생각하고 있구려. 맞소. 그러니 애당초 황궁무고는 언감생심, 우리의 것이 될 수 없소."

"그럼 북해빙정은요? 그것도 우리 차례가 돌아오지 않는다고 생각하세요?"

"아니, 그건 우리도 사용할 수 있을 것이오. 하지만 문제는 그 지옥 같은 한기를 견뎌 낼 자신이 없다는 것이오. 또 설령 견뎌 낸다고 하더라도 그 효능을 제대로 받을 수 있을까, 하는 점에서는 의문이 드오."

"그건 왜죠?"

아란의 질문을 받은 고굉은 길게 한숨을 내쉬며 말했다.

"내 나이 벌써 마흔 가까이 되었소. 흑도에 입문한 지도 벌써 이십 년이 훌쩍 넘었소. 가진 거라고는 두둑한 배짱과 잘 돌아가는 머리, 그리고 별 볼 일 없는 재간 몇 가지뿐이오. 이런 내가 북해빙정의 효능을 받는다고 해서 순식간에 삼류에서 일류, 아니 절정 고수가 될 거라고 생각하오?"

그는 스스로 머리를 흔들며 말을 이었다.

"아니오. 절정 고수가 되는 게 그리 간단한 일이라면 천하에 절정 고수 아닌 자가 없을 것이오."

아란이 알겠다는 듯이 고개를 끄덕이며 말을 받았다.

"그러니까 빙정의 효능을 받아 내공을 얻는다고 하더라도 그게 엄청난 내공일 리도 없거니와 또 이미 고 방주가 그 내공을 바탕으로 펼치는 무공을 수련하는 것조차도 힘들 나이라는 거죠?"

"아주 그냥 폐부를 푹푹 찌르는 말이구려. 맞소. 바로 내 말이 그 말이오. 절정 고수를 꿈꾸기에는 내가 너무 나이를 먹었소."

그렇게 시인하는 고굉의 얼굴은 유난히 늙어 보였고 주름살이 깊게 파여 보였다.

'사람이라는 게 애당초 꿈을 잃는 순간 희망을 놓는 순간 갑자기 늙는다고 했지, 아마?'

아란은 그렇게 생각하며 입을 열었다.

"그래서 어쩔 생각인데요?"

고굉은 잠시 뜸을 들였다. 아란은 잠자코 그가 입을 열기를 기다렸다. 고굉은 그녀의 표정을 살폈고 그녀도 고굉의 안색을 살폈다. 그렇게 오랜 줄다리기 끝에 결국 고굉이 포기한 듯 말했다.

"나는 그저 나와 내 수하들이 안정적으로 살아갈 수 있기를 바랄 뿐이오."

아란은 차분한 어조로 말했다.

"머리가 나빠서 고 방주의 말을 이해하지 못하겠네요."

"간단히 말하자면 평생 호의호식(好衣好食)할 돈만 있으면 된다는 것이오."

고굉은 처음으로 제 속내를 드러냈다.

"거기에 나와 내 수하들이 안주할 수 있는 조직 하나 정도, 이곳 성도부와 사천 일대까지 장악하여 적을 경계하지 않아도 될 정도의 조직을 세울 자금만 마련할 수 있다면 충분하다는 것이오."

그는 살짝 흥분하여 말을 이었다.

"아니, 굳이 성도부가 아니라도 상관없소. 저 서안도 괜찮고 항주도 상관없소. 내 꿈을 펼칠 수 있는 곳이라면 어디든 갈 수 있으니까. 하지만 그렇게 되려면 반드시 그만한 밑천이 필요하지 않겠소?"

'결국 명예나 권력보다는 돈이 최고라는 거네.'

아란은 속으로 중얼거리다가 고개를 갸웃거렸다.

'아니지. 돈이 있으면 명예도 살 수 있고 권력도 살 수 있지. 옛말에 사람이 아무리 잘나도 쇳복 타고난 놈은 못 이긴다는 말이 있는 것처럼, 확실히 돈만 있다면 귀신도 다룰 수 있으니까.'

아란은 잠시 자기 스스로를 돌아보았다.

자신이 원하는 게 무엇인지 생각했다. 그리고 지금 당장 필요한 게 어떤 것인지도 고민했다. 결론은 쉽게 났다.

그녀 역시 고굉처럼 돈이 필요했다. 그 무엇보다, 그 누구보다 돈을 원하고 있었다.

'돈만 충분하다면 연풍회 같은 조직 열두 개는 만들 수 있어. 자금만 넉넉하다면 정보원 따위 수백, 수천 명을 부릴 수도 있고. 자금력만 막강하다면 흑개방이나 황계의 세력을 비집고 반드시 더 훌륭하고 뛰어난 정보 조직을 만들어 낼 수가 있어.'

그게 아란의 결론이었다.

고굉은 상념에 젖은 아란의 얼굴을 잠자코 지켜보았다. 그녀의 표정이 미세하게 변하는 과정을, 그녀의 입가에 희미한 미소가 스며드는 순간을 놓치지 않고 관찰했다.
'그래. 네년도 결국 마찬가지지다. 아무리 아닌 척해도 역시 나와 같은 부류의 사람이거든.'
고핑은 속으로 웃으며 겉으로는 진지한 태도를 유지한 채 입을 열었다.
"사실 나는 화평장이 이만큼 성장하는 데 있어서 소저와 내 공이 적지 않다고 생각하오. 버드나무 골목길의 장원들을 매입하는 과정도 그랬고, 내 수하들과 소저의 연풍회가 힘을 합쳐 매일같이 크고 작은 정보들을 물어 온 것도 그렇고……."
아란이 고개를 끄덕였다.
"그건 그래요. 우리가 그렇게 뒤를 봐주고 힘을 보태주지 않았다면, 다섯 장주들이 마음 놓고 무적가나 철목가와 정면으로 부딪쳐 싸우지 못했을 거예요."
"바로 그게 내가 하고 싶었던 말이오. 그런데 어떻소? 우리에게 돌아온 게 무엇이오? 그래, 내 수하들은 월봉이라도 받는다 칩시다. 죽은 자들은 가족들에게 보상금이 지급된다고 합시다. 하지만 나는 어떻소? 소저는 어떻소? 이번 전투를 승리로 이끄는 데 숨은 공로가 있는 우리들은 어떤 보상을 받았소?"
"아무것도 받지 못했죠."
"그렇소. 아무것도 받지 못했소. 싸움을 승리로 끝낸

후에는 당연히 논공행상(論功行賞)이 필요하오. 사실 많은 돈과 직책 따위는 원하지도 않소. 적어도 수고했다, 고생했다, 자네 덕분에 이길 수 있었다 하는 등등의 공치사(空致辭)도 없었소. 그 빈말뿐인 칭찬만으로도 충분히 기뻐했을 텐데 말이오."

"그래요. 사실 강 장주는 우리를 동료로 취급하지 않아요. 겉으로는 의자매니 의형제니 하지만 다른 형제들 대하는 것과는 전혀 달라요. 마치 수하처럼, 하인이나 시녀처럼 자기 마음대로 부리는 경향이 있어요."

"그게 섭섭하다는 것이오. 그렇기에 강 장주를 위해서 목숨을 바칠 기분이 들지 않는 것이기도 하오. 내 살길, 내가 알아서 챙기지 않으면 누가 챙겨 주겠는가 하는 생각이 들 수밖에 없단 말이오."

"고생이 많으셨네요."

"소저도 고생이 많으셨소, 그동안."

두 사람은 의기투합하여 서로의 눈을 바라보았다. 고굉은 반짝이는 아란의 눈동자를 직시하며 입을 열었다.

"그래서 하는 말이오."

그의 목소리가 낮았다. 덩달아 아란의 목소리도 낮아졌다.

"뭔데요?"

"다른 사람들이 북경부와 북해로 여행할 동안 우리는

이곳에 남아서 장원을 지키는 거요."

고굉이 음흉하게 웃으며 말했다. 아란도 알겠다는 듯 묘한 미소를 지으며 말했다.

"고양이에게 생선을 맡겨 달라, 이건가요?"

"역시 소저는……."

고굉이 감탄하듯 크게 고개를 끄덕였다.

그때였다. 대청 문이 열리고 강만리가 들어섰다. 강만리는 대청 탁자에 앉아 있는 두 사람을 보고는 의아한 표정을 지으며 물었다.

"어라? 아직도 있는 거야? 아니면 벌써 와 있는 거야?"

아침 식사를 끝낸 지 제법 시간이 흘렀다. 하지만 점심을 먹기에는 아직 때가 일렀다. 그 애매한 시간을 두고 하는 말이리라.

"아, 차 한잔 마시며 잡담 좀 하고 있던 참이었습니다."

고굉이 웃으며 말했다.

"그래?"

강만리는 다가와 맞은편 자리에 앉으며 두 사람을 바라보았다. 도둑이 제 발 저린다고, 고굉과 아란은 저도 모르게 마른침을 꿀꺽 삼켰다.

"보기 좋은걸?"

강만리가 웃으며 입을 열었다.

"그렇게 두 사람이 나란히 앉아 있으니까 마치 한 쌍의 부부 같군그래."

"네에?"

"네?"

"벽린이랑 어울릴 줄 알았더니 고굉 자네와 훨씬 더 잘 어울리는데?"

"아휴, 무슨 그런 말씀을요."

"저를 어떻게 보고 하시는 말씀이세요?"

살짝 기분 좋은 얼굴로 사양하듯 말하는 고굉과는 달리 아란은 샐쭉한 표정을 지으며 새침하게 말했다. 그리고는 의자를 들고 일어나 고굉에게서 멀리 떨어져 앉았다. 고굉의 얼굴빛이 변했다.

당황한 건 강만리였다.

농 삼아 한 말이었는데 아란이 저렇게까지 크게 반발할 줄은 미처 몰랐다.

"미안, 미안. 농담이었네. 내 두 사람에게 사과하지."

강만리는 손을 모으며 진지하게 말했다. 고굉과 아란의 얼굴이 살짝 풀어졌다.

강만리는 여전히 손을 모은 채 이번에는 자리에서 일어나 허리까지 살짝 굽히며 말을 이어 나갔다.

"사과하는 김에, 두 사람에게 또 사과하겠네."

2. 고굉

"뭐를요?"

고굉이 눈을 동그랗게 뜨고 물었다. 강만리는 진지하게 말했다.

"그간 자네들에게 많은 도움을 받았음에도 불구하고 제대로 사의를 표시한 적이 없었네. 또 그 공로에 마땅한 상도 주지 못했고."

고굉과 아란은 휘둥그레 눈을 뜬 채 서로를 돌아보았다. 지금 강만리는 마치 문밖에서 그들의 대화를 엿듣고 있었던 것처럼, 시의적절하게 사과하고 있었다.

"워낙 정신이 없어서 주변을 제대로 돌아보지 못했다는, 그런 변명으로 나를 이해해 주게. 절대로 자네들을 무시해서 모른 척했던 건 아니었으니까."

강만리의 사과에 고굉이 더듬거리며 말했다.

"에이, 됐습니다. 우리 사이에 무슨 사과가 필요하겠습니까? 설마 우리가 상을 바라고 공을 세운 것도 아니고, 또 공이라고 해 봤자 참새 발톱 정도에 불과한 공인데요, 뭐. 안 그렇소, 소저?"

"맞아요. 우리에게 신경 쓰지 않아도 돼요. 우리는 정말 괜찮으니까요."

아란도 방긋 웃으며 말하자, 강만리는 허리를 펴고 다

시 자리에 앉았다. 그리고는 머쓱하게 웃으며 말했다.

"그렇게들 말해 줄 줄 알았다. 그래서 사실 사과도 하지 않을까 생각했는데, 나는 충분히 이해해 줄 사람들이라고 말했는데도 예예가 반드시 사과하라고 하더군."

고굉과 아란은 어색하게 웃으며 말을 받았다.

"물론 이해합니다."

"당연하죠. 우리가 이해하지 못하면 누가 강 오라버니를 이해하겠어요?"

"그러니까 말이다."

강만리는 길게 한숨을 쉬며 말을 이었다.

"나는 말이다, 따로 말을 하지 않아도 오가는 눈빛과 표정, 그런 것만으로도 충분히 진심을 전할 수 있다고 생각하거든. 특히 우리 같은 사이라면 더더욱 말이지."

"물론입니다."

"맞아요."

"그런데도 예예는 그게 아니라는 게야. 친할수록 예를 갖춰야 하고, 가까울수록 진심이 담긴 말을 전해야 오해하지 않고 어긋나지 않는다고 말이지."

"음, 형수께서 조금 과민하신 것 같습니다."

"그렇지? 그래서 나도 괜찮다고 했는데…… 어쨌든 결국 이렇게 쑥스러운 자리가 되고 말았지 뭐냐? 하하하."

강만리는 너털웃음을 흘리며 끄응, 하고 자리에서 일어

났다.

"그럼 먼저 갈 테니 편히들 쉬게."

"살펴 가십시오."

"이따가 봬요."

고굉과 아란은 강만리가 대청을 빠져나가고 문이 닫히는 걸 확인한 후에야 비로소 안도의 한숨을 내쉬었다.

"나는 강 장주가 밖에서 다 듣고 온 줄 알았소."

"저도요."

아란이 설레설레 고개를 저으며 말했다.

"아직도 심장이 콩닥거리네요."

고굉도 놀란 가슴을 진정시키려는 듯 차를 한 잔 마셨다. 그리고는 노려보듯 아란을 바라보며 물었다.

"흠, 그래서 아란 소저는 어찌할 생각이오?"

"뭘요?"

"조금 전 우리가 나눴던 대화 말이오. 설마하니 사과를 받았으니 이제 상관없다는 생각이오? 아니면……."

"당연히 아니죠. 그깟 사과가 내 지난 모든 고생에 대한 보상이 될 수는 없잖아요? 적절한 보상과 그 이자까지 받아 내야죠."

그녀의 말에 고굉은 주위를 살피며 말했다.

"그럼 자리를 바꿔 계속 이야기를 나눕시다. 아무래도 이곳은 조금 눈치가 보이니까."

그들이 대화를 나누는 곳은 위청전의 대청이었다. 주변에는 아무도 없지만 그래도 주방이나 복도 안쪽의 방에는 숙수와 하인, 시녀들이 머물고 있었다.

비밀 이야기를 나누기에는 역시 아무래도 뒤가 켕길 수밖에 없는 공간이었다.

"좋아요. 그럼 어디로 갈까요?"

"내 처소로 갑시다."

"고 방주 처소요?"

"아니면 아란 소저의 처소로 가는 게 낫겠소?"

아란은 지금 삼불소축에 머물고 있었다. 그리고 삼불소축은 설벽린의 거처였다. 괜히 그곳에 고굉을 끌어들일 필요는 없었다.

아란은 웃으며 말했다.

"그럼 고 방주 처소로 가죠."

고굉은 손님도, 이곳 주인도 아닌 묘한 신분이었다. 그런 묘한 신분답게 따로 자신만의 명칭이 붙은 거처가 아닌, 외당에 마련되어 있는 별채에 머물고 있었다.

"좋네요. 아담하고."

처음 이곳에 들른 아란은 주위를 둘러보며 중얼거렸다.

그래도 사방으로 담을 두르고 구획된 공간이었다. 조

그렇기는 하지만 정원도 있는, 제법 큰 객잔에서 흔히 볼 수 있는 형태의 별채였다.

"흥."

고굉은 코웃음을 치며 말했다.

"다른 형제들에게는 삼 층 전각을 주면서 내게는 그저 이 별채 하나만 준 것만 보더라도 강 방주가 나를 어떻게 생각하는지 잘 알 수 있다오."

그는 경비 무사들의 인사를 받으며 별채로 들어섰다. 대기하고 있던 그의 심복 두 명이 빠르게 술과 간단한 요리를 준비한 후 사라졌다.

고굉은 자신과 아란의 잔에 술을 따랐다. 두 사람은 연거푸 석 잔의 술로 건배를 대신했다. 상당히 향이 좋은 죽엽청이었지만, 여전히 고굉은 마음에 들지 않는 얼굴이었다.

"흑룡방주 시절에는 이보다 귀한 술을 마음껏 마셨는데 말이오."

잠시 회상에 잠겼던 그는 술잔을 내려놓으면서 곧바로 화제를 돌렸다. 그의 목소리가 은밀해졌다.

"강 장주의 화평각 창고에 온갖 보물들이 아무렇게나 쑤셔 박혀 있다고 하오. 황태자가 주신 선물에다가 십만대산에서 챙겨 온 보물들까지 거기에 있다고 하오."

아란이 고개를 갸웃거렸다.

"북해빙궁으로 가면서 다 챙겨 가지 않을까요?"

"그러니 챙기기 전에 우리가 몇 개 슬쩍하자는 거지. 제대로 관리를 하지 않고 있으니 양손 가득 들고 나와도 뭐가 없어졌는지 전혀 알지 못할 것이오."

고광의 이야기가 본론으로 진행되면서 아란의 눈빛도 더욱 진중하게 반짝였다.

"소저도 이미 잘 알고 있겠지만, 아쉽게도 내당의 경비무사는 모두 북해빙궁 무사들이 차지하고 있소. 반면 내 흑룡방 아이들과 또 내가 소개한 용병들은 외당, 그리고 장원의 경비를 맡고 있소. 사실 이것 역시 나를 무시한 처사임이 분명하오."

고광은 힘주어 말했다.

하지만 사실은 그게 아니었다. 강만리가 고광을 무시하기 때문에 흑룡방 무사들과 용병들을 외곽으로 돌린 건 결코 아니었다.

단지 그들과 북해빙궁 무사들 간의 무위에는 현격한 차이가 있었다. 북해빙궁 무사 한 명이면 흑룡방 무사 열 명을 상대할 수 있었다.

그러니 결국 훨씬 강한 북해빙궁 무사들이 주요 거처를 경비하게 되었고, 흑룡방 무사들은 외당이나 장원 외곽을 지키는 역할을 맡게 될 수밖에 없었다.

하지만 고광은 그 사실을 알면서도 일부러 그러는지 아

니면 진심으로 그렇게 생각하는지, 계속해서 자신이 무시당하고 또 자신의 수하들에 대한 처사가 부당하다고 주장했다.

고굉의 이야기가 길어지자 가만히 듣고 있던 아란은 가볍게 눈살을 찌푸리면서 그의 말을 제지했다.

"그래서 어떻게 들키지 않고 화평각의 창고에 잠입할 건데요? 그게 제일 중요한 문제 같은데요."

"안 그래도 생각해 둔 바가 있소."

고굉은 의자를 끌어당겨 앉으며 나지막한 소리로 말했다.

"한 달에 한 번, 내당과 외당의 경비 무사들이 자리를 바꿔 순찰하고 경계를 설 때가 있소. 외당 경비 무사들도 내당의 지리에 익숙해져야 한다는, 그래서 긴급 상황이 발동해도 당황하지 않을 수 있도록 하겠다는, 뭐 그런 이유 때문이라고 하오."

"아, 들어 본 것 같네요."

아란은 가물가물한 기억의 끝자락을 잡으며 고개를 끄덕였다.

"내당과 외당의 지형에 익숙해지지 않으면 자칫 그곳에 설치된 함정과 암기들에 의해 변을 당할 수도 있다고 했던가요? 그래서 외당 무사라 하더라도 내당 어느 곳에 함정이 설치되어 있고, 암기들이 마련되어 있는지 알아야 한다고 말이죠. 반대쪽도 마찬가지고요."

"그렇소. 그래서 순찰당주 양위와 호원당주 왕주봉은 한 달에 한 번 수하들과 더불어 서로의 임무를 바꾼다오. 그리고 닷새 후가 바로 그날이오."

"아!"

"왕주봉은 내가 추천한 용병이지만, 또 나와 술잔을 나눈 의형제이기도 하오. 그러니 그날 화평각의 경비 책임을 내 수하들이 맡도록 하는 건 그리 어려운 일이 아니오."

고굉은 탐욕 가득한 눈빛을 빛내며 말을 이었다.

"모두가 곤히 잠든 한밤중, 아무도 모르게 화평각으로 들어가서 창고 문을 열고 한 보자기 가득 보물들을 들고 나오는 것이오. 그것만으로도 은자 수십만 냥, 백만 냥 가치는 될 것이오."

고굉은 이미 보물을 챙긴 것처럼 잔뜩 으스대며 계속해서 말했다.

"제대로 보물을 관리하지 않은 까닭에 강 장주는 아무것도 모른 채 북해로 떠날 것이고, 그 후 이곳에 남은 우리들은 곧장 장원을 빠져나오는 것이오. 그리고는……."

게서 말을 멈춘 고굉은 술 한 잔을 따라 마셨다. 그리고 거칠게 입을 닦으며 다시 말을 이었다.

"새로운 흑룡방을 만들 것이오. 강 장주가 이곳 성도부로 돌아오는 게 무서우면 서안으로 가도, 아니 불산도 괜찮지 않소? 어쨌든 돈만 있으면 어디에서든 성공할 자신이 있으니까."

고꽝은 조금 더 앞으로 몸을 내밀며 말했다.

"만약 아란 소저가 나와 함께한다면, 훨씬 더 이른 시일 내에 더 큰 조직을 만들 수 있을 것이오. 내 장담하리다."

그렇게 말하는 고꽝의 눈빛이 왠지 음흉하고 음탕하게 반짝였다.

아무래도 고꽝이 말하는 '함께한다'는 게 정치적, 사업적 동료만으로 국한되는 것이 아닌 모양이었다.

어쩌면 잠자리도 함께한다, 라는 의미로까지 변질할지도 몰랐다. 숱한 남성의 음탕한 눈길과 온갖 제의를 받아본 아란의 입장에서는 당연히 그렇게 생각하고도 남았다.

'뭐, 나쁘지는 않겠지. 내 몸으로 고 방주를 묶어 둘 수만 있다면야…….'

그깟 가랑이, 얼마든지 벌려 줄 수 있다고 생각하는 아란이었다.

3. 아란

정신적 사랑이 있어야만 육체적 사랑을 나눌 수 있다는

건 세상 물정 모르는 아이들이나 규중심처(閨中深處)의 어린 소녀나 할 법한 생각이었다.

현실은 달랐다.

유곽이 아니더라도 밥 한 끼 겨우 사 먹을 돈에 스스럼없이 아랫도리를 벌리는 여인들은 많았다.

어디 빈민가의 여인들만 그러는 게 아니었다. 무림의 여협(女俠)이라는 것도 말이 좋아 여협일 뿐이었다. 배경도 없고, 무공도 부족한 여인들은 당연히 뭇 사내들의 음욕 대상이 될 수밖에 없었다.

심지어 명문 거파의 여제자들도 마찬가지였다. 그녀들은 언제나 사내들의 눈요기 대상이었고, 또 자칫 방심하다가는 미혼약이나 최면제에 의해 정신을 잃고 강간, 윤간을 당하기도 했다.

그럴 때마다 순결을 잃고 절개를 잃었다고 자결해야 할까.

그렇게 나약한 무림 여협은 드물었다.

그녀들은 이를 악물고 버텨 냈다. 모기에게 물린 셈치는 이들도 있었고, 장강에 배 지나간 흔적이 남겠냐며 자조하는 이들도 있었다.

물론 자신을 그렇게 만든 사내들을 찾아가 복수를 하는 경우도 있었고, 그 와중에 목숨을 잃는 경우도 적지 않았다.

하지만 부끄럽고 수치스럽다고 스스로 목숨을 버리는 여협은 거의 없었다.

강호 무림에 발을 디뎌 놓을 때부터 이미 그녀들은 스스로 여인이 아니라고 각오했으니까. 그 어떤 사내들보다 더 강하고 뛰어나고자 결의를 다졌으니까.

강호의 뒷골목을 살아가는 여인들은 더더욱 그러했다. 그녀들은 장사를 위해, 사업을 위해, 정치를 위해서 가랑이를 여는 데 인색하지 않았다.

어느 쪽이 이익인지 제대로 살피고 확인한 후, 그녀들은 이익만 얻을 수 있다면 아무리 마음에 들지 않는 남자라 할지라도 전혀 망설이지 않고 옷을 벗었다.

아란도 그런 여인이었다.

천한 뒷골목 태생의 계집이 흑개방의 한 지역을 담당하고 관리하는 지부주(支部主)의 자리까지 오른다는 건, 그건 오로지 자신의 능력만으로 이룰 수 있는 일은 결코 아니었다.

온갖 권모술수(權謀術數)는 물론, 심지어 자신의 육체나 거짓 사랑까지 동원하여 바득바득 이기고 또 이겨서 쟁취한 자리일 게 분명했다.

그런 아란이 설벽린의 몇 차례 유혹에도 불구하고 그와 잠자리를 갖지 않은 건, 그 잠자리를 통해서 얻을 수 있는 이득이 적기 때문이었다.

'여인의 육체는 마지막 수단이니까.'

아란은 늘 그렇게 생각했다.

온갖 술수를 다 동원하고도 일이 성사되지 않았을 때, 눈물 콧물을 쏟아 내도 상대방이 그녀의 뜻대로 움직이지 않을 때, 그때야 비로소 옷섶을 열고 농염한 육체를 드러내는 것이다.

그리하여 그동안 갈고닦은 정사의 기술을 통해서 상대방을 흐물흐물 녹여서, 이제는 오로지 그녀만 원하고 그녀만 찾게 만드는 것이다.

그게 아란이 자기의 젊고 아름다우며 요염한 육체를 최대한 효율적이고 비싸게 활용하는 수법이었다.

그러니 고광이 원한다면 그와 잠자리를 갖는 게 불쾌할 리가 없었다. 지금껏 늘 그래 왔으니까.

'언제 잠자리를 갖느냐가 문제인 거지, 잠자리 자체는 뭐…….'

아란이 그렇게 생각할 때였다.

문득 그녀의 뇌리에 떠오르는 사내 얼굴이 하나 있었다.

계집처럼 예쁘면서 눈웃음이 매력적인, 하지만 사내의 담대함과 기댈 수 있는 듬직함은 찾아볼 수 없는 얼굴. 그래서 여태 그녀가 잠자리를 갖지 않고 있는 사내.

놀랍게도 설벽린의 얼굴이 아란의 뇌리 가득 떠올랐다.

'어라?'

아란은 움찔 놀라며 황급히 고개를 내저었다. 고요한 연못에 돌을 던진 것처럼 설벽린의 얼굴이 사방으로 흩어졌다가 다시 모였다.

아란은 저도 모르게 눈살을 찌푸렸다.

"왜, 마음에 들지 않소?"

고굉이 오해한 듯 그렇게 물었다.

"아뇨."

아란은 황급히 손을 내저으며 웃었다.

"그런 게 아니에요."

"그런데 왜?"

고굉은 의아하다는 표정을 지으며 물었다.

"내 계획에 마음에 들었다면 왜 아까서부터 고개를 내젓고 인상을 찌푸리고 하는 것이오?"

"아, 그게……."

아란은 난감한 얼굴로 애매하게 웃었다.

그게 갑자기 뇌리에 떠오른 설벽린의 얼굴 때문이라고는 결코 말할 수 없는 일이었다.

그녀는 황급히 변명했다.

"아뇨, 그런 게 아니라…… 과연 이번 일이 들키지 않고 제대로 진행될 확률이 어느 정도 되는가 생각하고 있었어요."

고굉의 낯이 절로 찌푸려졌다.

"그렇다면 아란 소저는 확률이 낮다고 생각하나 보오."

"사실 그래요."

아란은 침착하게 말했다.

"모두가 잠들었다고는 하지만 그래도 강 방주는 절정의 고수예요. 그의 이목을 속이고 우리가 쉽게 창고 문을 열 수가 있을까요? 또 창고가 어디 있는지, 창고 문은 잠겨 있는지, 잠겨 있다면 어떻게 열어야 하는지 전혀 알지 못하잖아요? 무작정 화평각 내부로 잠입하기만 하면 보물을 챙길 수 있는 게 아닌 거잖아요?"

"으음. 그건 나도 인지하고 있던 부분이오."

고굉은 고개를 끄덕이며 수긍했다.

"사실 오래전부터 이런 생각을 한 게 아니니까 말이오. 엊그제 북해빙궁 이야기가 나온 후 한참 고민하다가 결심한 일이란 말이오. 당연히 세부적인 계획이나 세세한 방법 같은 것까지 모두 챙길 시간이 없었소."

아란은 빙긋 웃으며 말했다.

"그럼 이제부터 우리 둘이 머리를 맞대고 궁리해야겠네요. 그 세부적인 계획과 세세한 방법들에 대해서요."

고굉의 안색이 환해졌다.

"그렇소. 백지장도 맞들면 낫다고, 우리 두 사람이 힘을 합치면 그깟 창고에서 보물을 챙겨 나오는 건 식은 죽

먹기보다 쉽고 간단할 것이오."

"그래요. 그럼 오늘은 이만 끝내고, 내일까지 서로 이런 저런 계획을 생각한 다음 다시 이야기를 나누기로 해요."

"그럽시다."

고굉은 다시 술잔에 술을 채웠다. 두 사람은 서로의 눈을 바라보며 건배했다.

* * *

"어, 왔어?"

탁자 가득 십여 장의 종이를 올려 두고 심각하게 들여다보던 설벽린은 막 대청으로 들어서는 아란을 돌아보지도 않고 말했다.

아란은 가볍게 눈살을 찌푸렸다. 정말 푸대접인 게다.

"바쁘네요."

그녀는 짐짓 퉁명한 어조로 말했다.

"사람 돌아볼 시간도 없을 정도로."

"아, 맞아. 바빠. 정신없이 바빠."

설벽린은 여전히 그녀를 돌아보지도 않은 채 말했다. 그의 시선은 탁자 위의 종이들에 꽂혀 있었고, 그의 얼굴은 난감하고 곤혹스러운 기색으로 가득 차 있었다.

"도대체 뭘 그리 보고 있는데요?"

아란이 궁금하다는 듯이 가까이 다가오며 물었다.

설벽린은 종이들을 가리거나 숨기려고 하지 않았다. 외려 설벽린은 그녀가 잘 볼 수 있도록 여러 장 겹쳐 있던 종이들을 펼치며 말했다.

"아, 일전에 우리 모두 이곳 성도부를 떠나 북해빙궁으로 이전할 거라고 이야기했잖아? 그 계획서야."

"그 계획서가 이렇게나 많아요?"

"그러니까. 진짜 죽겠다니까."

설벽린은 투덜거리며 말했다.

"먼저 이 버드나무길 주변의 모든 장원을 팔아야 해. 그것도 십삼매나 허 노야에게 들키지 않고. 그리고 지금 있는 보물들 또한 적당한 가격에 팔고. 이것 역시 그들에게 들키지 않고 은밀하게 진행해야 해."

"으음, 그렇다면 와주(窩主)나 소장인(銷贓人)이 많이 필요하겠네요."

아란이 알겠다는 듯이 고개를 끄덕이며 말했다.

와주나 소장인은 곧 장물아비로, 범죄 등 불법으로 생긴 재물을 거래하는 자들을 의미했다.

소장인이 바로 그 장물아비를 뜻한다면, 와주는 장물아비를 포함하여 범인이나 장물을 숨긴 집, 혹은 그 세력이라는 의미로도 사용한다.

"뭐, 물론 내가 그쪽 방면으로는 잘 알고 있지."

설벽린은 어깨를 으쓱거리며 대꾸했다.

"하지만 그렇다고 은자 수백만 냥에 달하는 거래를 그렇게 간단하게 처리할 수는 없는 노릇이거든. 최소한 수백 명의 소장인이나 와주를 만나서 분산 거래를 해도 부족할 테니까 말이지."

설벽린은 한숨을 쉬며 말했다.

"아마 사천이나 서안은 물론, 섬서의 태원부나 호광까지 돌아다니면서 그들을 다 만나 봐야 할지도 몰라."

"그럼 이게 다 암거래상들과의 거래 방법인가요?"

"아니, 당신이 들고 있는 종이와 저쪽 종이들. 그리고 이쪽은 우리 대식구가 신기루처럼 성도부를 빠져나가는 방법들을 생각해 본 내용들이고."

"와아, 정말 방대한 작업이네요."

아란은 종이를 들여다보다가 고개를 갸웃거렸다.

"그런데 왜 당신 혼자 하죠? 다른 장주들은 뭐하고요?"

"그야 내가 이 방면에서는 그들보다 나으니까."

설벽린은 담담하게 대꾸했다.

"게다가 다른 형제들은 정극신과 싸우고, 또 무적가와 철목가와 싸우느라 지치고 피곤할 테니까. 어쨌든 그동안 그들에 비해서 비교적 한가했던 내가 알아서 준비하는 게 당연하겠지. 나중에 다시 수정하거나 혹은 다른 더 의견이 나올지라도, 이렇게 대충 얼개를 짜 놓으면 그들이 생각하고 참고하는 데 도움이 수가 있을 테니까 말이지."

설벽린은 그렇게 말하는 동안 단 한 번도 지금 내려다보고 있는 종이에서 시선을 떼지 않았다.

아란은 가만히 그런 설벽린을 바라보았다.

누구보다 잘생긴 외모에 화려한 입담을 지닌 사내. 하지만 사내다운 당당함과 담대함이 부족하고 기대어 쉴 수 있는 포용력과 듬직함이 부족한 사내.

하지만 지금 이렇게 탁자 가득 종이들을 펼쳐 놓은 채 그 세세한 계산 하나하나에 집중하고 있는 그의 모습은 아란의 기존 평가가 무색해질 정도로 당당하고 듬직해 보였다.

아란은 저도 모르게 한숨을 내쉬었다. 그리고는 설벽린 곁에 찰싹 달라붙으며 말했다.

"옆으로 가 봐요. 백지장도 맞들면 낫다고, 우리 둘이 머리를 합치면 더 좋은 방법을 찾을 수 있을 거예요."

"어? 그, 그래."

설벽린은 주춤거리며 자리를 비켜 주었다.

설벽린과 어깨를 밀착한 아란에게서는 흐릿한 술 냄새가, 그리고 그보다 진하고 달콤한 향기가 흘러나오고 있었다.

8장.

참, 무정도 하지

하지만 사람의 마음이라는 건 종잡을 수가 없어서
종종 자신의 뜻과 의지를 벗어나 제멋대로 뛰어다니기도 하는 법이었다.
바로 지금의 소홍이 그랬다.

1. 참 나쁜 아이로구나, 너는

무적가가 쫓겨나고 철목가가 철수하고 화재가 진압된 성도부였다. 근 한 달간 지하에 숨어들었던 십삼매의 황계나 허 노야의 유령교 모두 세상 밖으로 나와 당당하게 활보했다.

허 노야는 성도부 남쪽에 위치한 고풍찬연(古風燦然)한 장원에 머무르고 있었다. 과거 황족(皇族)이 살았다는 이야기가 있을 정도로 거대하고 화려한 장원에는 천지장(天地莊)이라고 적힌 현판이 걸려 있었다.

십삼매가 그 천지장에 당도한 건 그날 오후의 일이었다. 그녀는 안면 있는 유령교 제자들의 호위를 받으며 장원의 본청에 들어섰다.

본청에는 붉은색 양탄자가 깔려 있었고, 정면에는 호랑이 가죽이 덮인 태사의가 놓여 있었다.

"황계의 십삼매가 당도하셨습니다."

제자들이 일제히 소리쳤다.

얼마 지나지 않아 복도 안쪽에서 기척이 나더니 잘생긴 소년 한 명이 귀찮은 표정으로 걸어 나왔다. 다름 아닌 위천옥이었다.

의복이 흐트러지고 옷매무새가 헝클어진 거로 보아 지금껏 그가 복도 안쪽 처소에서 무엇을 하고 있었는지 대충 감을 잡을 수가 있었다.

위천옥은 곧장 태사의로 직행하여 자리에 앉았다. 그리고 턱을 치켜든 채 한 발을 꼬며 오만한 시선으로 십삼매를 내려다보았다.

십삼매는 주위를 둘러보았다. 어디에고 자신이 앉을 만한 의자나 차탁은 보이지 않았다.

그녀는 속으로 한숨을 내쉬었다. 저 위천옥이라는 소년은 자신과 그녀를 아무래도 군신(君臣) 관계라고 착각하고 있는 모양이었다.

"허 노야는 어디 계세요?"

그 착각을 올바르게 잡아 줄 사람은 허 노야뿐이리라.

그래서 십삼매는 주위에 있는 유령교 제자들을 향해 그

렇게 물었다.

하지만 누구 하나 대답하는 이가 없었다. 그들은 입을 꽉 다물고 정색한 채 그저 제 자리에 우뚝 서 있을 따름이었다.

"진짜 오래간만이다, 그지?"

위천옥이 웃으며 말했다.

"날 기억해?"

십삼매도 웃으며 말했다.

"물론이지. 왜 기억하지 못하겠니? 그때 내 곁을 떠나기 싫다고 내 치마를 꼭 잡은 채 엉엉 울던 너였는데."

"응? 내가 그랬나? 그건 또 몰랐네. 뭐, 그때는 워낙 어렸으니까. 십삼매를 엄마로 착각했을 수도 있지."

"맞아. 너는 날 엄마처럼 잘 따랐지. 그때의 그 귀엽고 깜찍한 아이는 어디로 갔을까? 이렇게 엄마가 앉을 자리도 권하지 않는 나쁜 아이는 아니었는데."

십삼매가 일부러 크게 한숨을 쉬었다.

위천옥이 킬킬 웃으면서 본청 벽 양쪽으로 시립해 있던 제자들을 향해 말했다.

"뭣들 하나? 얼른 십삼매와 내가 대화를 나눌 수 있도록 자리를 마련하지 않고?"

그의 명령이 떨어지자마자 제자들은 일사불란하게 움직였다. 탁자를 가져오고 의자를 날라 왔다. 순식간에 붉은 양탄자가 깔린 대청 중앙에 자리가 마련되었다.

위천옥이 내려와 탁자 정면의 자리에 앉았다. 십삼매가 우측 자리에 앉았다. 위천옥이 손을 뻗으면 십삼매의 어깨가 닿을 정도의 거리였다.

위천옥은 가만히 그녀를 바라보다가 불쑥 입을 열었다.

"안 늙었네, 십삼매는. 어렸을 적 내 기억 그대로야."

"어머나, 고마워라. 기분 좋은 말을 해 주네. 하지만 많이 늙었어. 이제는 아줌마야, 진짜."

"하하, 아냐. 조금 전까지 나와 정사를 치렀던 기녀들보다 훨씬 더 아름답고 육감적이며 매혹적이야. 다들 스무 살이라고 했는데, 피부는 버석버석하고 살갗은 탄력이 없더라고. 도대체 운동은 전혀 하지 않고 매일 먹고 마시기만 한 것 같더라니까."

"그건 나도 그래. 피둥피둥 살만 쪘으니까."

"하하하. 그래도 세상 계집들이 다 십삼매만 같다면 정말 계집질할 맛이 날 거야."

그렇게 웃던 위천옥은 뒤늦게 생각났다는 듯이 물었다.

"아, 소홍은? 듣자 하니 그 녀석도 십삼매 못지않게 아름답고 요염하며 육감적으로 컸다고 하던데."

"아직 애기야."

십삼매는 고개를 흔들었다.

"키만 크고 몸매만 좋아졌지, 아직 여자로서 갖춰야 할 지덕체(智德體)가 부족해. 좀 더 배우고 노력해야 제대로 된 여인이라 할 수 있을 거야."

"그래? 어쨌든 한번 보고 싶은데, 오랜만에. 왜 안 데리고 왔지?"

"아, 미안해. 내 잘못이야."

십삼매는 손을 모으며 사과했다.

"네가 성도부를 찾을 줄 미처 몰랐거든. 허 노야가 아무것도 가르쳐 주지 않았으니까. 그래서 보름 전 즈음에 조금 먼 곳으로 대피시켰어. 이곳 성도부에서 철목가와 무적가가 마구 날뛰는 와중에 행여 다치기라도 하면 큰일이니까."

위천옥의 눈살이 찌푸려졌다.

"뭐야? 허 노야는 아무 말도 하지 않던데?"

"그동안 허 노야와 대화를 나누지 않았거든. 방금 말했잖아? 나도 네가 온다는 소식을 전혀 듣지 못했다고. 도대체 허 노야는 지금 어디 있는 거지?"

"이런."

위천옥은 한숨을 쉬며 말했다.

"사천 일대에 숨어 있던 늙은이들을 마중 나간다고 나갔어. 저녁 식사 전까지는 돌아올 거야."

"아, 그래서 이렇게 애매한 시간에 나와 약속을 잡은 거구나. 그들이 오기 전에 이야기를 끝내고 돌아가라고 말이지."

"뭐, 그렇지. 십삼매와 할 이야기라는 게 그리 길지는 않으니까."

위천옥은 쩝쩝 입맛을 다시며 십삼매의 아래위를 훑어보며 말을 이었다.

"소홍도 보지 못하게 되었고 십삼매와 할 이야기도 다 끝났고…… 그럼 내가 얼마나 컸는지 확인하러 가지 않을래? 내 방에 널브러져 있는 계집들 싹 치울 테니까."

'바보로구나.'

십삼매는 속으로 한숨을 쉬었다.

'도대체 허 노야는 이 아이를 어떻게 키운 거람? 여인을 얻지 못하면 결코 천하를 쟁취할 수 없는데 말이야. 이렇게 매번 여인들을 적으로 돌릴 말을 하거나 행동을 하다니.'

"참 나쁜 아이로구나, 너는."

십삼매는 물끄러미 위천옥을 바라보다가 씁쓸하게 웃으며 고개를 흔들었다.

"엄마를 상대로 몸을 섞자고 하다니, 농담이라도 그런 말을 하는 게 아니란다."

십삼매는 마치 친아들을 대하듯, 그렇게 처연하고 다정

하게 말했다. 위천옥의 얼굴이 붉게 달아올랐다.

* * *

"이상해? 뭐가 이상하다는 거지?"

청노는 제 그림자를 내려다보며 물었다. 잠시 귀를 기울이던 그는 고개를 갸웃거리며 중얼거렸다.

"엥? 냄새가 나지 않는다니, 그럴 리가 있나? 설마 이틀 이상 물속에 들어가 있을 리도 없고, 옷을 빨지도 않았을 텐데. 천리향이라는 게 그렇게 쉽게 사라지는 향기가 아닌데 말이지."

천리향은 사람을 추격하고 위치를 확인할 수 있도록 만든 특수한 약이었다. 효용이 뛰어난 만큼 비싸고, 그만큼 희귀한 물건이었다.

하지만 그 향이 생각보다 쉽게 옅어지고 빠르게 사라진다면, 아무리 효용이 뛰어나다 할지라도 그 엄청나게 비싼 제조 가격에 비해서 가성비가 떨어질 수밖에 없었다.

물론 천리향이 천일향(千日香)이니 백일향(百日香)이니 하는 것들처럼 지속 기간이 길지는 않았다.

하지만 물속에서 이삼 일 이상 가라앉아 있지 않거나 땅속 깊이 묻히지 않거나 혹은 특수하게 제조한 약품으로 지워 내지 않으면, 그 유효한 지속 기간에는 어떤 일이 있더라도 향이 사라지지 않았다.

그럼에도 불구하고 더 이상 천리향의 향기가 나지 않는다는 혈노의 말에 청노의 안색은 차갑게 굳었다.

"그럼 수장(水葬)을 당했거나 땅에 묻혔거나 아니면 누군가 그에게 묻어 있는 천리향을 눈치채고 지웠거나 셋 중의 하나로군."

청노는 팔짱을 끼며 중얼거렸다.

"천리향을 지우는 특수 약물은 미리 준비하지 않고 있다면 쉽게 구할 수 있는 물건이 아니지. 그러니까 이번 상황에서 제외해도 무리가 아닌 것 같고. 그래, 그렇지. 바로 내 말이 그 말이야."

청노는 고개를 끄덕이며 다시 중얼거렸다.

"그렇다면 아무래도 수장을 당하거나 땅에 묻혔을 가능성이 크다는 건데. 성도부 외곽으로 흐르는 강이 있기는 하지. 하지만 백노가 쫓던 마차가 외곽으로 빠져나갔다고는 생각하기 어려워."

그렇다면 결국 땅에 묻혔다는 의미가 된다.

사실 무엇이 됐든 믿을 수 없는 추론이었다. 천하의 백염살귀가 누군가에 의해 죽임을 당하다니.

청노도 자신이 내놓은 추론이 황당하다는 듯이 고개를 설레설레 흔들며 주위를 둘러보았다.

넓은 도로와 좁은 길이 교차하는 사거리였다. 행인은

붐볐고 마차와 수레들이 줄지어 이동하고 있었다. 시끄럽고 복잡한 거리였다.

갈 길을 잃은 채, 가야 할 곳을 모른 채, 쫓아야 할 백노를 놓친 채 청노는 그렇게 우두커니 서서 하염없이 주변을 둘러보고 있었다.

2. 담호의 사부들

다시 하루가 지났다.

날씨는 점점 따스해지는 가운데 성도부의 사람들은 제각기 모두 바쁘게 움직였다.

화재로 인한 손실을 복구하기 위해 부지런히 일하는 사람들이 있었다.

먹고살기 위해 새벽부터 일어나 온갖 잡일을 하는 사람들이 있었다.

사람들의 안녕과 거리의 치안을 위해 쉬지 않고 성도부를 돌아다니는 포두와 포쾌들이 있었다.

유령교의 사람들도 바쁘기는 매한가지였다. 사천 각지에서 모여든 노마들을 상대하고, 그들이 이곳에 머무는 동안 편히 묵고 지낼 수 있도록 최선을 다했다.

위천옥도 별다른 문제없이 노마들을 접견했다. 이후 노

마들이 지정된 별채로 돌아간 후에야 비로소 허 노야는 안도의 한숨을 내쉴 수 있었다.

다음 날 오찬(午餐)도 마찬가지였다. 위천옥은 무슨 생각이 들었는지 오만하고 거만한 태도를 버리고 진중하며 차분한 모습으로 노마들과 식사를 나눴다.

허 노야의 말이 아니더라도 위천옥과 오찬을 갖는 노마들은 다들 일대를 풍미한 효웅거마들이었다.

지난 정사대전에서도 끝끝내 살아남은 그들은 태극천맹과 오대가문의 추격을 피해 각자의 은거지에서 남은 생애를 보내고 있었다.

그런 노마들이 위험을 무릅쓰고 굳이 성도부에 모습을 드러낸 건 역시 위천옥을 보기 위해서였다.

유령교의 소교주이자 공적십이마로 대변되는 사마외도의 초절정고수들이 힘을 합쳐 키운, 사마외도의 마지막 한 수라고 할 수 있는 위천옥이 어떤 사람인지, 얼마나 대단하게 성장했는지 두 눈으로 직접 확인하기 위함이었다.

그리고 직접 위천옥을 본 노마들은 만족했다. 그들은 거듭해서 그의 행동거지를 칭찬했다.

사천 일대의 노마들은 위천옥을 보면서 교육이 잘되었느니, 천하를 호령할 영웅의 자질이 보인다느니, 앞으로 기대해 볼 만하겠다느니 하는 소리를 늘어놓았다.

사실 평소의 위천옥이라면 절대로 참지 않았을 것이다. 감히 누구를 평가하느냐, 너희들 같은 늙은이들이 감히 할 소리더냐 하고 흥분하며 날뛸 상황이었다.

그러나 십삼매를 만나고 난 위천옥은 조금 달라져 있었다. 그녀와 무슨 대화를 나눴는지는 모르겠지만 위천옥은 평소보다 훨씬 침착하고 여유가 있었다.

오찬이 끝난 후 노마들은 만족한 얼굴을 하고서 다시 자신들의 은거지로 돌아갔다. 그들을 배웅하고 돌아온 위 노야가 은근슬쩍 물었다.

"십삼매와 무슨 이야기를 나눴습니까?"

위천옥은 심드렁한 표정으로 말했다.

"별 이야기 아냐. 아, 소홍이 멀리 피신을 갔다고 하더군."

"네? 그랬습니까?"

"그것도 몰랐나?"

"한동안 무적가와 철목가가 성도부 전역을 휩쓸고 다니는 바람에 십삼매와 이야기를 나눌 처지가 아니었습니다."

"흠, 십삼매도 그리 말하더군. 그래서 내가 오는지도 몰랐다고 말이지."

"네. 제가 미처 이야기를 하지 못했습니다. 깜짝 놀라게 해 줄 생각도 없지는 않았고요."

"뭐 됐어. 나중에 보지 뭐. 그럼 청노와 혈노가 백노를 찾아오는 대로 바로 떠날 테니까 그리 준비하고 있어."

'백노는 찾을 수 없을 겁니다.'

하마터면 그리 말할 뻔했다.

허 노야는 억지로 말을 집어삼킨 후 조심스레 말했다.

"알겠습니다. 그럼 이제 어디로 가실 건지요?"

"여기까지 왔으니까 서안 쪽도 한번 둘러봐야지. 노군(老君)이 마침 그곳에 계시니. 예까지 왔다가 서안에 들러서 안부 인사를 드리지 않으면 삐치실 테니까."

"아, 혈천노군(血天老君)께서 지금 서안에 계십니까?"

허 노야는 처음 들어 본다는 표정을 지으며 물었다.

사실 공적십이마의 행사는 특급 비밀이었다. 심복 몇 명을 제외하고는 그들이 어디에서 무엇을 하는지 그 누구도 알지 못했다.

허 노야는 물론, 심지어 황계를 주관하는 십삼매도 알지 못했다. 그래서 지금까지 그중 몇 명이 죽었는지 살아 있는지도 제대로 파악할 수가 없었다.

물론 오대가문과 태극천맹은 공적십이마 중 일곱을 처리하여 이제 공적오마만 남았다고 강호에 선포했지만, 그건 엄연히 사실과 다른 내용이었다.

우선 그들이 지저갱에 가둬서 영원히 빠져나올 수 없다고 장담했던 야래향과 빙혼마고가 버젓하게 살아서 사천

당문에 머무르고 있었다. 그것만으로 공적오마는 공적칠마가 되는 셈이었다.

태극천맹이 주살했다고 선포한 공적십이마 중에서 최소한 귀수구절편과 태을마군을 제외한, 금강철마존이나 패왕신도, 그리고 귀왕혈부 등의 생사는 그 누구도 확인하지 못하고 있는 상황이었다.

위천옥은 아무렇게나 고개를 끄덕이며 말했다.

"그럼 이틀 안으로 청노들이 돌아올 테니 그때까지 내가 편히 쉴 수 있도록 모든 걸 완벽하게 준비해 줘."

"그리 모시겠습니다, 소야."

허 노야는 입가에 미소를 숨긴 채 정중하게 허리를 굽히며 대답했다.

* * *

담호는 소홍을 마주칠 때마다 그녀의 눈치를 살폈다. 하지만 소홍은 언제나처럼 똑같은 미소를 머금은 채 평소와 다를 바 없이 그를 대했다.

하루가 지나고 이틀째가 되자 담호는 더 이상 그녀의 눈치를 살피지 않게 되었다.

'어쩌면 누나는 그게 뭔지 모를 수도 있어.'

그런 생각이 들자 담호는 더욱더 당당해졌다. 그 또한

평소와 마찬가지로 소홍을 대할 수 있게 되었다.

그제야 소홍은 내심 안도의 한숨을 쉬었다.

'계속해서 눈치를 보면 어떻게 하나 싶었는데 다행이네.'

그녀는 콧잔등을 찌푸리며 웃었다. 처음에는 당황하고 부끄러워 어쩔 줄을 몰라 했지만 이제 와서 생각하면 확실히 재미있는, 그리고 돌발적인 조그만 소동이었다.

여전히 담호는 귀여웠고 착했으며 친절한 아이였다.

물론 달라진 것도 있었다.

소홍은 담호가 수련하는 모습을 물끄러미 지켜보게 되었다. 웃통을 벗고 그 자잘하게 새겨진 근육질의 몸매를 보면서 그녀는 저도 모르게 가슴을 콩닥거렸다.

"고마워요, 누나."

소홍이 땀을 닦을 천을 가져다주면 담호는 싱그러운 미소를 띠며 그렇게 말했다.

소홍은 그 햇빛처럼 맑고 바람처럼 시원한 미소에 귓불을 붉게 물들이며 아무 말도 못 한 채 돌아서야 했다.

'이건 마치 사랑에 빠진 계집 같잖아?'

소홍은 자책했다.

'아호는 아이라고, 꼬마라고. 그것도 나와 다섯 살이나 차이가 나는 어린 꼬마 녀석이라고. 왜 녀석을 보고 가슴이 뛰고 얼굴을 붉혀야 하는데.'

그녀는 속으로 투덜거렸다.

하지만 사람의 마음이라는 건 종잡을 수가 없어서 종종 자신의 뜻과 의지를 벗어나 제멋대로 뛰어다니기도 하는 법이었다.

바로 지금의 소홍이 그랬다.

담호에 대한 생각을 지우려 하면 할수록 그녀는 점점 더 담호를 생각하게 되었고, 이제는 멀리서 담호를 보기만 하더라도 숨이 가빠 오고 귓불이 붉게 달아오르게 되었다.

한편 담호는 그런 사실을 전혀 모르고 있었다. 소홍의 눈치를 보지 않게 된 그는 더욱더 무공 수련에 정진했다.

강만리로부터 한 사람의 몫을 한다고 칭찬을 받은 이후, 그는 지금보다 훨씬 강해져야 한다고 생각했다. 그는 아직 한 사람의 몫을 해낸다고 여기지 않았다.

그의 곁에는 담우천이 있었고 강만리가 있었으며 화군악과 장예추가 있었다. 심지어 무림오적에서 가장 무공이 떨어진다는 설벽린조차도 지금 담호보다 몇 단계 위의 무위를 지니고 있었다.

담호가 그들보다 나은 건 아직 어리다는 것뿐이었다.

하지만 여전히 무림오적도 강해지려고 노력했다. 이번 북해빙궁에 가는 것도 지금보다 훨씬 강해지기 위한 수단이었다. 하늘처럼 높은 곳에 있는 어른들이 그렇게까지 노력하는데 담호는 절대 게을러질 수가 없었다.

그런 담호의 노력을 기특하게 생각하는 이들이 많은 건 당연했다. 특히 만해거사와 유 노대는 마치 자신의 친손자를 대하듯 살갑게 대했다.

또한 담호의 자세도 잡아 주고, 수련에 필요한 마음가짐이나 병법 등에 대해서도 이야기해 주었다.

"무조건 몸을 단련한다고 해서 좋은 건 아니다. 가장 효율적이고 효과가 있는 방식으로 수련을 해야 하는 게야."

만해거사는 틈이 날 때마다 담호를 찾아와 수백 개의 금침(金針)을 놓아 주며 말했다.

그가 놓는 침은 아직 막혀 있는 혈도를 타통하고 기가 더 쉽고 빠르게 기맥을 타고 흐를 수 있도록 해 주었다.

또한 쉴 새 없이 훈련하느라 지친 근육을 이완시키고 찢어진 근육을 빠르게 복원하는 효능도 있다고 했다.

"매일 이 삼백육십 개의 침을 맞는다면 적어도 십 년 안에 천하제일인이 될 것이다. 그러니 아이야, 너는 기연을 얻은 줄 알아라. 한때는 세상 사람들 모두 독응의선의 이 성라대연금침술(星羅大宴金針術)을 한 번만이라도 맞기 위해서 천금을 들고 찾아와 무릎을 꿇었던 적도 있단다."

만해거사는 그렇게 말하며 껄껄껄 웃었다.

하지만 수백 개의 금침을 놓는 일이 상당한 내기(內氣)를 소모하는 듯, 치료를 마치고 돌아갈 때는 만해거사의 걸음이 휘청거리기 일쑤였다. 그럴 때마다 유 노대가 그를 부축하며 혀를 쯧쯧 찼다.

"제 제자도 손자도 아닌 아이에게 뭐 그리 지극정성이누?"

만해거사는 힘없이 웃으면서도 유 노대의 말을 받아쳤다.

"그러는 자네도 어제 보법과 신법을 가르쳐 주지 않았나? 직전제자도 아닌데 말이지."

유 노대는 머쓱해하며 중얼거렸다.

"그게 그러니까…… 녀석이 수련하는 모습을 가만 보고 있자면 왠지 모르게 뭐든지 다 가르쳐 주고 싶은 생각이 들어서 말이네."

"나도 그렇다니까."

그렇게 두 노인이 두런두런 대화를 나누는 소리가 점점 멀어져 갔다.

물론 담호는 성라대연금침술이 얼마나 대단한 것인지, 또 유 노대의 보법과 신법이 강호에서 어떤 대접을 받는지 전혀 알지 못했다.

그저 담호는 자신에게 한 수 가르침을 내려 주는 이들을 모두 자신의 스승이라 생각하고 그들의 가르침에 귀를 기울이고 그들의 조언을 온몸으로 받아들였다.

담호는 누구보다도 빠르게 강해지고 있었다.

3. 이주 계획

"대충 이 정도로 정리해 보았습니다."

설벽린이 탁자 주위를 돌아다니며 사람들에게 종이를 나눠 주었다. 사람들은 저마다 종이를 집어 들었다. 설벽린은 다시 자리에 앉은 후 천천히 입을 열었다.

"먼저 윗부분의 내용은 서안과 중경, 악양까지 해서 모두 십삼부(十三府)에 있는 마흔일곱 명의 와주와 소장인들에 대한 정보입니다."

사람들은 종이에 빼곡하게 적힌 글을 읽으면서 설벽린의 말을 들었다.

"먼저 생각해야 할 건 우리가 성도부를 떠나 북해빙궁으로 간다는 사실을 아무도 몰라야 합니다. 특히 십삼매나 허 노야 모르게 일을 진행해야 한다는 걸 염두에 두기 바랍니다."

십삼매는 황계라는 거대한 정보 조직을 주관하는 인물이었다. 허 노야도 한때 십만 교도를 자랑했던 유령교의 봉공이었다.

정보나 소문에 관한 한, 그들의 눈과 귀를 속이는 건 낙타가 바늘구멍에 들어가는 것보다 더 어려웠다.

"현재 우리 자금은 크게 세 가지로 분류할 수 있습니다. 하나는 현금이고 두 번째는 이 버드나무 길의 장원들이며 세 번째가 바로 보물들입니다."

강만리나 담우천, 화군악과 장예추, 정유는 물론이거니와 아란과 고굉 역시 진지한 얼굴로 종이를 들여다보았다.

전 가족이 모였던 며칠 전의 회합과는 달리 이번 회합은 화평장의 중추 격이라 할 수 있는 다섯 형제와 정유, 그리고 고굉, 아란만이 모여서 대화를 나누는 중이었다.

설벽린의 말은 계속해서 이어지고 있었다.

"그들의 눈을 피하기 위해서는 아주 은밀하고 세세하게 행동해야 합니다. 창고의 보물들을 균등하게 분배하여 각 와주와 소장인들을 찾아가 팔아야 합니다. 장원은 미리 구매자를 찾아 두었다가 우리가 떠나기 전날 한꺼번에 매매해야 합니다."

"흠, 그것으로 십삼매나 허 노야의 이목을 속일 수 있다고 생각해?"

"물론 부족합니다."

강만리가 물었다. 설벽린이 고개를 저으며 말했다.

"그래서 그들의 이목을 다른 곳으로 돌릴 필요가 있습

니다. 우리의 행동은 전혀 신경 쓸 겨를이 없도록, 보다 큰 사건이나 상황에 집중하도록 만들어야 합니다."

"호오, 어떻게?"

강만리가 흥미롭다는 듯이 묻자 설벽린은 난색을 취하며 대답했다.

"거기까지는 아직 따로 계획을 세우지 못했습니다. 단지 오대가문과 얽힌 일이라면, 혹은 공적오마에 관련된 일이라면 어느 정도 그들의 이목을 따돌릴 수 있지 않을까 하고 생각 중입니다."

"좋아. 거기까지만이라도 대단해. 나머지는 머리를 맞대고 이야기하면서 계획을 세우면 되는 거고. 근데 이건 뭐야?"

"아, 그건 성도부를 떠날 때 필요한 마차와 수레들의 숫자입니다. 그리고 그 밑은 이목을 분산시키려면 아무래도 우리가 인원을 나눠서 여러 경로로 움직이는 게 낫겠다 싶어서 생각해 본 경로들입니다."

"호오."

강만리는 엉덩이를 긁적거리며 고개를 끄덕였다. 하루이틀 고민해서 만든 보고서치고는 나쁘지 않았다. 아니, 종이에는 미처 강만리가 생각하지 못한 부분까지 적혀 있었다.

"좋은데."

담우천이 마음에 든다는 듯 말했다.

"어제 그제 얼굴을 볼 수 없다 했더니 이걸 작성하느라 그랬군요. 정말 대단한데요, 설 형님?"

화군악이 감탄했다.

"확실히 앞으로 우리가 해야 할 대부분의 일에 대한 얼개가 짜여 있어요. 여기에 조금 더 보충하고 세세하게 계획을 세운다면 생각보다 쉽게 성도부를 빠져나갈 수 있겠습니다."

장예추도 고개를 끄덕이며 말했다.

아란은 살짝 놀란 눈으로 설벽린을 바라보았다. 생각보다 이 남자, 듬직하고 당당해 보였다.

그때 고굉이 그녀의 옆구리를 툭 쳤다.

아란이 고개를 돌리자 고굉이 한쪽 눈을 찡긋거리며 이를 드러내며 웃었다. 둘이서 논의했던 계획을 이야기할 때라는 시늉이었다.

아란은 살짝 눈살을 찌푸리면서 고개를 끄덕였다. 이미 호랑이 등에 올라탄 몸, 정신만 잃지 않기를 바랄 따름이었다.

"우리가 남겠습니다."

고굉이 입을 열었다. 사람들이 깜짝 놀라며 그를 돌아보았다. 강만리가 눈을 동그랗게 뜨며 물었다.

"우리가 남겠다니, 그게 무슨 말이지?"

고굉은 진지한 얼굴을 하고 대답했다.

"설 장주가 말씀하신 대로 장원의 이주는 대규모 행렬이 될 수밖에 없습니다. 적어도 열 대의 마차, 오십 마리의 말, 이십 대의 수레가 움직여야 합니다. 그런 대규모 행렬은 당연히 사람들의 시선을 끌 겁니다. 수년 전 지부 대인이 황제께 예물을 바친 이후 처음 있는 대규모 행렬이니까요."

설벽린이 그의 말을 잘랐다.

"그래서 내가 여러 경로로 분산 이동하는 계획을 세우지 않았습니까?"

"아니, 그것만으로는 부족합니다."

고굉은 고개를 저으며 말했다.

"분산 이동의 문제점은 크게 두 가지가 있습니다. 하나는 여러 가닥으로 분산될수록 적에 대한 수비력이 떨어지고 이동에 필요한 기간이 늘어난다는 점입니다. 그리고 다른 하나는 그 여럿으로 분산된 이들 간의 연락이 원활하지 못하다는 점입니다. 어느 한쪽 행렬에 큰 위기가 닥쳐 왔을 때, 다른 행렬들이 빠르게 인지해서 도움을 주기 힘들다는 것이죠."

고굉은 마치 설벽린의 계획서를 미리 읽고 생각해 둔 것처럼 일목요연하게 그 단점에 관해서 이야기했다.

"음, 정확하게 내 부족한 부분을 지적하셨군요."

설벽린은 침중한 얼굴로 고개를 끄덕였다. 일순 아란이 고개를 숙이며 입술을 깨물었다. 설벽린이 계속해서 말을 이어 나갔다.

"안 그래도 그 단점은 이미 숙지하고 있던 참입니다. 그래서 이번 회합을 통해 수정하고 보완하려 했었는데…… 고 방주께서 따로 고견이 있으면 말씀해 주세요."

"설 아우께서 그리 말씀하시니 편하게 이야기하리다."

고굉이 희미하게 웃고는 다시 사람들을 둘러보며 말했다.

"가장 간단한 방법은 북해빙궁으로 이주하는 수를 줄이면 되는 겁니다. 백 명이 움직일 거 오십 명이 움직이면 분산할 수도 적게 되고, 빠르게 이동할 수도 있습니다."

"으음. 그러니까 자네는 자네의 수하들과 용병들을 이곳에 남기겠다는 거야?"

강만리가 물었다.

"그렇습니다. 하지만 그게 오직 이동하는 인원의 수만 줄이는, 그런 효과만 있는 게 아닙니다."

"그러면?"

"우선 최소한 우리가 이곳에 남아 있으면 성도부 사람들이 이상하게 생각하지 않을 겁니다. 그 누구도 화평장 사람들이 야반도주를 했다고는 상상조차 하지 못할 겁니다. 어쨌든 화평장을 지키는 우리가 남아 있으니까요."

"흐음."

야반도주라는 말에 사람들이 살짝 언짢은 표정을 지었지만 고굉은 개의치 않고 계속해서 이야기했다.

"그것만으로도 이주하는 데 충분한 시간을 벌 수 있습니다. 행여 십삼매나 허 노야가 불시에 방문했을 때, 장주들은 부인들과 함께 잠시 친정에 갔다고 이야기할 수 있으니까요. 최소한 열흘에서 보름 정도의 시간을 벌 겁니다."

"호오."

강만리는 마음에 든다는 얼굴로 고개를 끄덕였다. 고굉은 더욱 기세등등하여 말을 이어 나갔다.

"그리고 장원을 매매하는 것도 우리가 큰 도움을 줄 수 있습니다. 이주하기 직전, 이 길가의 장원들을 한꺼번에 매매한다는 건 쉽지 않은 일입니다."

"그건 그렇지. 한꺼번에 매매하면 아무래도 소문이 날 수밖에 없겠지."

고굉의 말에 강만리가 수긍하는 표정을 지으며 말했다. 고굉이 신나서 말을 이어 나갔다.

"맞습니다. 그러니 우리가 처음 장원들을 구매했던 것처럼 알게 모르게 하나둘씩 매매하는 게 최선일 겁니다. 그게 다 팔리면 우리도 성도부를 떠나는 거죠. 그리고 매매금은 저와 아란 소저가 강 장주를 찾아가 돌려 드리면 되는 거고요."

"응? 아란도 이곳에 남을 거야?"

강만리는 처음 듣는다는 표정으로 아란을 보며 물었다. 아란은 조용히 웃으며 고개를 끄덕였다.

"왜?"

강만리는 이해가 가지 않는다는 얼굴로 다시 물었다.

"며칠 전까지만 하더라도 고굉이나 아란 모두 북해빙정의 효능을 얻어 절정 고수가 되겠다고 난리였잖아? 요 이삼 일 사이에 무슨 일이 있었던 거야?"

"우리의 한계를 잘 알고 있기 때문입니다."

아란이 대답하기 전에 고굉이 먼저 입을 열었다.

"한계요?"

설벽린이 물었다.

순간, 아란이 힐끗거리며 그를 바라보았다. 설벽린의 표정은 웃는 것도 우는 것도 아니라서 딱히 무슨 생각을 하고 있는지 짐작할 수가 없었다.

하지만 그렇게 고굉에게 따지듯 묻는 목소리가 딱딱하게 굳어져 있는 거로 보아, 지금 설벽린의 심사가 평온하지 않은 것만은 확실했다.

"그렇다오. 한계라오."

고굉이 우울한 표정을 지으며 설벽린에게 말했다.

"북해빙정의 그 서슬 퍼런 한기를 견뎌 낼 자신도 없거니와, 설령 그 한기를 뚫고 빙정의 효능을 얻었다 한들 그걸 내 것으로 완벽하게 소화해 낼 여력이 없으니까. 마흔 살 가까이 되어서 새로운 무공을 배워 봤자 얼마나 실력이 늘 것 같소? 삼성? 이성? 아주 잘해 봐야 그 정도 수준에 불과할 것이오."

고굉은 처연한 어조로 말을 맺었다.

누구 하나 그에게 위로를 하거나 혹은 반박하는 이가 없었다. 그의 말은 사실이었으니까.

고굉은 무림의 고수가 아니었다. 어린 시절부터 체계적으로 훈련을 받지도 못했다. 그저 뒷골목에서 조금 힘 좀 쓰는 불량배에 지나지 않았다.

그런 그가 순식간에 이삼십 년 내공을 얻는다고 해도, 그 내공을 온전하게 자신의 것으로 소화해서 이삼십 년 내공이 담긴 무공을 펼친다는 건 있을 수 없는 일이었다.

그게 내공의 어려운 점이고, 무공의 힘든 점이었다.

고굉이 말이 끝난 후 한동안 입을 여는 이가 없었다. 잠시 후 강만리가 어색하게 헛기침을 하며 말을 꺼냈다.

"지금 상황에서는 고 아우의 이야기가 최선인 것 같으니 우선 그리 계획을 진행하기로 합시다. 그리고 시간이야 아직 많으니까 중간중간 계속해서 계획을 수정 보완하면 되니까 말입니다."

다른 형제들 모두 동의한다는 듯이 고개를 끄덕이는 가운데, 오로지 설벽린만이 인형처럼 움직이지 않았다.

아란은 계속해서 그의 옆얼굴을 힐끗거렸다. 아쉽게도 설벽린은 단 한 번도 그녀를 돌아보지 않았다. 아란은 왠지 가슴이 쓰라리고 아팠다.

'참 무정하기도 하지. 내가 이곳에 남는다고 해도 아무런 반응을 보이지 않다니.'

그녀가 속으로 한숨을 쉬며 고개를 설레설레 흔드는 가운데, 회의는 계속해서 진행되었다.

9장.

복수의 시간

그러나 지금은 복수의 시간이 아니었다.
죽은 시신들을 치우고 무너진 건물을 복구하고
다시 새롭게 전열을 가다듬을 시간이었다.

1. 제갈천상

성도부에서 무적가가 패퇴하고 철목가의 가주 정극신이 죽었음에도 불구하고 무림은 평온했다.

사실 그런 상황을 정확하게 알고 있는 무림인들은 극히 소수에 불과했고, 그들은 각자 서로 다른 이유로 침묵을 지켰다.

그런 연유로 강호인들은 여전히 오대가문이 천하를 주름잡고 태극천맹이 그 권능을 발휘하며 그들의 지배하에 강호 무림이 돌아간다고 생각했다.

그렇게 겉으로 보이는 호수의 수면은 잔잔했지만, 물밑의 상황은 전혀 달랐다. 그 아무도 모르는 물밑에서 치열하고 간절하게 움직이는 자들이 있었던 것이다.

* * *

무적가는 이번 전투에서 막대한 피해를 입었다.

삼숙 제갈천상이 이천여 무리를 이끌고 제갈보광들을 구하기 위해 성도부로 진격했다. 그 어떤 적이라고 하더라도 일격에 몰살시킬 위용을 자랑하며 천자산을 떠나 만인평으로 내달렸다.

하지만 그들은 패배했다. 승리는커녕 외려 제갈천상의 왼팔이 잘렸고, 수백 명의 수하를 잃었다.

그 처참한 패배 속에서 제갈천상이 얻은 것이라고는 철목가의 비룡맹군과 무적검군이 제갈보광을 죽이고 제자들을 도륙했다는 사실 하나뿐이었다.

하나 더 있다면 제갈천상의 한 팔을 내주고 무적검군에게 중상을 입혔다는 정도일까.

비보(悲報)는 게서 멈추지 않았다. 철목가의 모든 무사를 주살하기도 부족할 때, 본산이 궤멸당할 지경에 처했다는 급보가 날아들었다.

제갈천상이 이끌고 온 이천여 무리는 무적가 전체 병력의 팔 할에 해당되었다. 그리고 본산에는 몇 명의 장로와 더불어 불과 삼사 백 명의 무사들만 남아 있었다.

물론 그들 중 고수 아닌 자가 없었으며 심지어 하인들과 시녀들까지 상당한 수준의 무공을 익혔으니, 어지간한 적의 기습은 충분히 막을 수 있다는 게 제갈천상이 본산을 떠나기 전의 생각이었다.

그 본산을 기습한 무리는 불과 백여 명, 하지만 그들은 강했으며 악랄하고 잔인했다. 절대로 물러서거나 피하지 않았으며, 제 목숨이 다할 때까지 무적가 사람들을 죽이고 또 죽였다.

그러나 무적가의 저항은 완강했다. 그들은 숫자와 병력의 우세를 바탕으로 험한 산세에 위치한 본산을 수성(守城)했다. 이렇게 무너지지 않은 채 지키고만 있으면 반드시 제갈천상의 원군이 올 거라는 희망이 그들에게 있었다.

결국 기습했던 무리는 더 이상 버티지 못한 채 도주했고, 다음 날 제갈천상이 이끄는 무리가 본산에 당도했다.

세가로 돌아온 제갈천상은 치를 떨었다.

수십 채의 전각이 불에 타고 무너져서 어필봉 일대는 마치 폐허 같았다. 시신들은 벌써 정리하여 한쪽으로 몰아 두었는데 언뜻 봐도 얼마나 치열하게 싸웠는지 알 수 있을 정도로 처참한 형상들이었다.

무사들과 시녀, 하인을 물론 무공을 모르는 식솔들까지 잔악하게 죽임을 당한 모습을 보고 제갈천상은 피가 나도록 입술을 깨물었다.

'두고 봐라, 철목가 놈들!'

그는 이를 갈면서 하늘을 우러렀다.

'반드시 복수할 것이다! 내 동료를 죽이고 내 제자들을 죽이고 내 식솔들을 죽인 죄! 네놈들의 목을 자르고 혼(魂)을 베어 몇 배, 아니 수십 배로 갚아 줄 것이다!'

그는 소리 없이 절규하고 고함을 지르고 맹세했다.

그러나 지금은 복수의 시간이 아니었다. 죽은 시신들을 치우고 무너진 건물을 복구하고 다시 새롭게 전열을 가다듬을 시간이었다.

그러니 복수의 시간은 잠시 미뤄도 괜찮았다. 오직 복수의 일념(一念)을 잃지 않고, 이 활화산처럼 타오르는 뜨거운 분노와 증오의 불길을 꺼뜨리지 않는다면, 복수의 시간은 얼마든지 뒤로 미뤄도 좋았다.

'반년.'

제갈천상은 고개를 끄덕였다.

'그래, 반년이면 족하다.'

그는 피폐해진 세가의 전경을 둘러보며 중얼거렸다.

"본 무적가는 반년 동안 폐문(閉門)하기로 한다. 그동안 이 무너진 세가를 복원하는 것이다. 또한 강호에 나가 있는 모든 제자를 불러 모을 것이고, 본산을 떠나 강호 곳곳에 은거하고 있는 장로와 전대 장로까지 모두 끌어

낼 것이다."

그의 낮은 목소리는 처절하고 결의에 가득 차 있었다.

"그리하여 안으로 세가를 다시 일으킨 후, 밖으로는 저 철목가를 괴멸시킬 것이다. 구족(九族)까지는 아니더라도 삼족(三族)을 몰살시켜 두 번 다시 강호에 철목가라는 이름이 언급되지 못하도록 만들 것이다."

단숨에 그렇게 맹세한 그는 한 번 호흡을 끊은 다음, 재차 말을 이었다.

"행여 다른 가문 중에 내 일을 방해하고자 하는 이가 있다면 내 모든 것을 걸고 그들 역시 몰살시킬 것이다."

복수의 맹세가 끝난 후 제갈천상은 천천히 걸음을 옮겼다. 한쪽 구석에 모아 둔 시신들이 그곳에 있었다. 제갈천상은 그들, 죽은 자들의 시신을 바라보며 조금은 차분하게 가라앉은 목소리로 말했다.

"그러니 그대들은 조금만 참고 기다리도록 하라. 내 복수가 완성되는 그날까지, 조금만 그 억울하고 분통한 마음을 삭이도록 하라."

제갈천상은 마치 살아있는 자들에게 말하듯, 그렇게 낮은 목소리로 시신들을 위로하고 달랬다.

그렇게 차분하고 낮은 목소리와는 달리 그의 눈빛은 여전히 불길에 휩싸인 듯 뜨겁게 타오르고 있었다.

* * *

강만리 일행이 회합을 갖고, 공식적인 업무를 끝낸 위천옥이 성도부 기녀들과 질펀한 정사를 하고 있을 즈음.
항조군이 이끄는 철목가 무리들은 호광성 형산(衡山) 일대를 지나고 있었다.

아직도 본가가 위치한 항주까지는 스무 날 이상의 거리가 남아 있었다. 나름대로 밤잠 설쳐 가며 행군하고 있음에도 불구하고 이렇게 더디게 이동하는 건, 길게 줄지어 있는 수레들 때문이었다.

수십 대의 수레에는 부상자들과 시신들로 가득 차 있었다. 성도부에서 목숨을 잃은 무사들의 시신과 만인평에서 싸우다가 상처를 입은 자들, 그리고 역시 며칠 전 성도부에서 무림오적에게 부상을 당한 자들이었다.

그 행렬은 적막하고 을씨년스러웠다.

죽은 자는 당연히 침묵했고 산 자들 역시 침묵했다. 그들이 타고 있는 수레를 끌고 호위하며 길게 늘어선 무사들 역시 누구 하나 입을 열지 않았다.

행렬의 선두에는 팔두마차가 있었다. 그 안에는 가주 정극신의 시신이 안치된 관이 자리했다. 그리고 그 옆에 항조군이 앉아서 침울한 표정을 지은 채 물끄러미 창밖을 내다보고 있었다.

항주에서 성도부로 올 때만 하더라도 이렇지 않았다. 오백에 달하는 정예무사들은 기세당당하고 활기 넘쳤으며 투기(鬪氣)가 번들거렸다.

그들은 정극신의 독려를 앞세워, 대륙의 끝에서 끝까지 보름여 만에 주파하여 성도부에 당도했다.

하지만 돌아가는 길은 달랐다. 오백의 무사는 절반으로 줄었고, 남은 절반의 무사 중 몸이 성한 무사는 또 절반도 되지 않았다.

살아남은 자들의 얼굴은 피폐했고 추레했으며 생기마저 보이지 않았다. 집으로 귀환하는 길임에도 발걸음에는 힘이 없었으며 어깨는 축 늘어진 게, 영락없는 패잔병(敗殘兵)의 모습이었다.

그러니 행군에 속도가 날 리 없었다. 항조군이 독려하기도 하고 또 윽박지르기도 했지만, 그때만 조금 열심히 움직일 뿐 시간이 지나면 다시 이렇게 축 늘어져서 겨우 발걸음을 옮기고 있었다.

'젠장!'

항조군은 입술을 깨물었다.

행군 속도가 느리면 느릴수록 부담으로 다가오는 게 점점 늘어날 수밖에 없었다. 무사들이 쉬고 먹고 자고 하는 모든 게 돈이었고, 귀환길이 더디면 더딜수록 당연히 돈은 더욱 많이 지출될 수밖에 없었다.

문제는 그것만이 아니었다. 아니, 사실 돈보다 더 큰 문제가 지금 항조군은 난처하고 곤혹스럽게 만드는 중이었다. 바로 시신들에 대한 처리 문제였다.

'아, 어떻게 해야 하나?'

그랬다. 지금 항조군의 골치가 아픈 건 바로 그 수백의 시신들 때문이었다.

2. 항조군

시신들.

겨울이 지나고 봄이 오는 계절이었다. 게다가 지금 행군은 대륙의 남쪽 경로를 이용하여 항주로 향하는 중이었다.

날씨가 따뜻해짐에 따라 수레의 시신들은 물론 관에 안치된 정극신의 시신도 썩는 중이었다. 고약한 냄새가 마차 안 가득 스며들어, 항조군은 계속해서 끊이지 않고 향을 피우고 있었다.

행군이 계속되면서 향의 개수는 점점 늘어났지만, 이제는 그 향으로도 시체 썩는 냄새를 지울 수가 없게 되었다.

'어쩔 수 없나?'

항조군은 잘강잘강 입술을 깨물며 고민했다.

'결국 버려야 하나?'

창밖으로는 병풍처럼 둘러쳐진 형산의 웅장한 산세가 저 멀리 보이고 있었다. 지금 팔두마차가 이동하는 관도에서 최소한 백 리는 떨어진 거리로 보였다.

항조군은 멍한 눈빛으로 잠시 그 광경을 지켜보다가 이윽고 결심을 한 듯 크게 한숨을 내쉬고는 두 손으로 제 뺨을 두드렸다.

"어쩔 수 없지. 가주의 시신은 안 되겠지만, 저 수레의 시신들은 버리고 갈 수밖에 없다. 그래야 한시라도 빨리 항주로 귀환할 수 있으니까."

결정을 내린 항조군의 뇌리는 빠르게 돌아가기 시작했다.

"그리고 부상자들은 몇몇 호위를 두어 따로 천천히 오라고 해야겠다. 그들 역시 행군의 속도를 늦추는 방해물이라 할 수 있으니까."

지금 상황에서 가장 중요한 건 정극신의 시신이었다. 그 시체가 완전히 부패해서 더는 그 형태를 알아볼 수 없게 되기 전에, 세가로 돌아가야 했다.

그리하여 세가의 수뇌부들에게 정극신의 죽음을 확인하게 한 다음, 차기 가주를 선출할 수 있도록 해야 했다.

항조군은 창밖으로 머리를 내밀며 소리쳤다.

"북쪽 형산으로 이동한다!"

말을 타고 선두에서 호위하던 이들이 곧장 북쪽으로 말머리를 돌렸다. 팔두마차가 그 뒤를 따르고 수십 대의 수레들이 천천히 방향을 바꿔 관도를 이탈했다.

물론 형산까지 가서 시체를 묻을 생각은 아니었다. 야산이라도 상관없었다. 훗날 돌아와 쉽게 시신들의 무덤을 찾을 수 있는, 그런 특별한 징표가 있으면 어디고 상관없었다.

문득 눈앞에 보이는 구릉 저 위로 족히 수백 년은 된 듯한 느티나무 한 그루가 보였다.

그 주변은 온통 숲이었고 자잘한 나무들이 빼곡하게 들어서 있었다. 수백 년 된 느티나무 하나만이 군계일학(群鷄一鶴)처럼 우뚝 자라 있었다.

항조군의 새로운 지시가 떨어졌다. 마차와 수레들이 그 구릉으로 향했다. 척후(斥候)로 보냈던 무사가 곧바로 돌아와 보고했다.

"이십여 장 앞에 오십여 평 정도 되는 평지가 있습니다."

항조군은 고개를 끄덕였다.

"그곳에 시신들을 묻고 거대한 무덤을 만들도록 하자."

평지에 다다른 무사들이 앞다퉈 땅을 파고 시신들을 묻었다.

다시 땅이 덮이고 순식간에 조그만 구릉 같은 무덤이 만들어졌다. 항조군의 명령이 떨어진 지 불과 한 시진도 되지 않아 만들어진 무덤이었다.

무사들은 그 무덤에 대고 기원을 올렸다. 항조군이 손을 모으고 고개를 숙인 채 중얼거렸다.

"시간이 없어 따로 무덤을 만들지 못하고 이렇게 합장(合葬)하게 된 걸 용서하라. 하지만 이곳에 그대들의 무덤이 있다는 걸 본 철목가는 영원히 기억할 것이다. 차후 매년 사람을 보내서 제(祭)를 올리고 그대들의 올곧은 충절(忠節)과 용맹한 분투(奮鬪), 그리고 영광된 무훈(武勳)을 길이길이 숭상할 것이므로."

항조군의 이야기에 무덤을 둘러싼 이들 중 눈물을 흘리지 않는 이가 없었다. 무사들은 모두 이를 갈면서 복수를 다짐하고 또 다짐했다.

그렇게 마지막 인사를 마친 항조군은 다시 무사들을 돌아보며 침착하게 말했다.

"백 명의 무사들을 차출하여 부상자들을 챙기도록 한다. 그들이 건강하고 안전하게 귀환할 수 있도록 최선을 다해 호위해 주기 바란다. 각 당주들과 조장들은 백 명을 선별하여 따로 모이도록 하라."

지시를 받은 당주들은 빠르게 인원을 정리했다.

항조군의 마지막 인사 때문이었을까. 선별된 백 명의

무사들은 이제까지의 축 늘어졌던 모습과는 달리, 면면에서 그리고 눈빛에서 저마다 날이 시퍼런 기세를 뿜어내고 있었다.

항조군은 당주들에게 충분한 금액의 전포를 나눠 주며 재차 당부했다.

"백여 명의 부상자 중에서 단 한 명도 죽으면 안 된다는 각오와 신념으로 호위하라. 아무리 늦어도 상관없다. 한 달이든 두 달이든, 그들의 안전과 건강을 최우선으로 삼고 귀환하도록 하라."

"존명!"

당주들은 곧바로 구릉을 내려갔다. 시신들을 치워 버린 수레는 절반 이상 버려졌다. 백 명의 무사들은 백여 명의 부상자들을 수레에 태우고 다시 관도를 따라 항주로 이동하기 시작했다.

이제 구릉에 남은 무사들은 약 이삼십 명에 불과했다. 항조군은 그들을 돌아보며 말했다.

"이제부터 우리는 전력을 다해 귀환하기로 한다. 달리다가 말이 지치면 다른 말로 바꿔 타고, 또 인근 마장에서 새로운 말을 사서 교환하도록 한다. 열흘, 그 안에 항주에 입성할 수 있어야 할 것이다."

남아 있던 정예 무사들의 안색이 굳어졌다. 형산에서 항주까지 열흘이라면, 이틀에 한 번 꼴은 열두 시진 내내 말을 달려야 비로소 가능한 거리였다.

항조군은 무사들의 불안한 표정을 읽었는지 계속해서 말을 이어 나갔다.

"하루 아홉 시진을 달리고 세 시진은 휴식을 취한다. 그 정도라면 열흘 정도 무리해도 될 것 같은데."

"충분합니다!"

"최선을 다해 열흘 안에 귀환할 수 있도록 하겠습니다!"

무사들이 일제히 소리쳤다.

"좋아. 그럼 당장 출발하기로 한다."

항조군이 팔두마차에 올랐다.

실내는 온통 악취로 가득 차 있었다. 절로 눈살이 찌푸려졌다. 항조군은 코를 막으며 입으로 숨을 쉬었다. 손가락정도의 굵은 향을 다섯 대나 피우고 있었지만 그 고약한 시체 썩는 내는 지울 수가 없었다.

마차와 말들이 동시에 출발했다.

마부는 팔이 빠져라 고삐를 흔들고 채찍을 휘갈겼다. 여덟 필의 말들이 일제히 울부짖으며 마구 내달리기 시작했다. 이십여 명의 무사들은 제 각자 한 마리씩의 말들을 옆에 대동한 채 마차를 따라 질주했다.

먼저 출발했던 수레들이 관도 한쪽으로 황급히 길을 비켜 주었다. 순식간에 수레들을 추월한 항조군 일행은 거

침없는 속도로 관도를 질주했다.

덜컹거리는 마차 안에서 항조군은 쉴 새 없이 머리를 굴렸다.

“따로 전서구나 다른 연락망을 통해서 미리 세가에 알리지 않은 이유는 자칫 내가 도착하기 이전에 파벌이 생기고 내분이 일어나는 것을 저어했기 때문이다.”

그는 딱딱하게 굳은 얼굴로 중얼거렸다.

만약 항조군이 전서구 등을 통해 정극신의 죽음을 세가에 알렸다고 치자.

그 정보가 모든 세가 수뇌부들에게 일률적으로 전달될 가능성보다는 누군가 남들보다 그 정보를 미리 알게 될 확률이 더 높은 게 사실이었다.

그렇게 남들보다 한발 앞서 정보를 쥔 자는 당연히 차기 가주에 대해 생각을 하게 될 것이고, 만약 그자가 정극신의 장남이 아닌 차남이나 삼남(三男)을 미는 쪽의 인물이라면 자신이 원하는 인물을 차기 가주로 옹립하기 위해 손을 쓸 게 분명했다.

만약 그런 식으로 해서 정극신의 장남이 후계자 자리에서 밀려나게 된다면, 그때부터는 가문 내 전쟁이 발발할 수도 있었다.

문득 항조군의 뇌리에 정극신의 자식들이 하나씩 떠올랐다.

세 형제는 제 부친을 닮아서인지 하나 같이 포악하고 잔악한 성격을 지녔는데, 그나마 장남이 어렸을 적부터 나름대로의 후계자 수업을 받은 까닭에 조금 더 멀고 넓게 형국을 내다볼 수 있는 시야를 지녔다.

"하지만 야욕은 둘째가 가장 강하고, 심기(心機)는 셋째가 가장 깊지. 사실 냉정하게 따지고 보면…… 역시 서출(庶出)인 정유 도련님이 제일 낫기는 한데."

항조군은 정유를 떠올렸다.

갓 세상에 태어나자마자 내쫓겼던 정유는 스스로 자립하여 태극천맹의 무사가 되더니, 이제는 태극감찰밀 내에서도 상당한 지위까지 올라 뭇 젊은 무사들의 귀감이 되고 있었다.

"듣자 하니 성격이 온화하고 성품이 훌륭하여 차차기 맹주 후보감이라는 소문까지 있으니, 그런 분을 차기 가주로 모실 수만 있다면야……."

그렇게 중얼거리던 항조군은 고개를 홰홰 내저었다.

"아니지. 차기 가주를 내가 정하는 것도 아니고, 나는 그저 모든 세가의 수뇌부와 어른들이 한데 모인 자리에서 일시에 가주의 죽음을 발표하기만 하면 된다. 만약 그 후에도 차기 가주 다툼이 벌어지고 내분이 일어난다면…… 그야 어쩔 도리가 없겠지."

항조군은 한숨을 길게 내쉬었다.

굳이 과거 역사를 들먹이지 않더라도 후계자의 다툼으로 인해 무너지고 자멸한 경우는 무수히 많았다. 정극신의 절대적인 권위와 위엄이 사라진 철목가 또한 그러지 말라는 법은 없었다.

"차기 가주가 누가 되든지 내가 알 바는 아니지만, 어쨌든 차기 가주에게 빠르게 조언할 수 있도록 미리 나도 생각해 둬야겠지."

총관의 시야에서 본 철목가는 앞으로 해야 할 일이 무수히 많았다.

우선 정극신의 죽음을 세상에 알릴 것인가, 숨길 것인가 하는 문제가 있었다. 또 무적가를 상대하기 위해서 다른 가문과의 연계 가능성도 확인해 봐야 했다.

전국 각지, 그리고 태극천맹에 차출된 철목가의 고수들을 소집하는 것도 늦출 수 없는 일이었다. 방계(傍系)는 물론 사돈의 팔촌까지, 힘이 될 수 있는 자들은 모조리 끌어모아야 했다. 무적가는 결코 만만한 상대가 아니었다.

"그리고……."

항조군은 이를 갈았다.

'무림오적이라고 했지?'

놈들에 대한 복수도 빠져서는 안 된다. 유령교를 몰살시키는 일도 잊으면 안 된다.

항조군은 쉴 새 없이 덜컹거리는 마차 안에서, 썩어 가는 정극신의 시신이 담긴 관 옆에서, 그렇게 앞으로 철목가가 해야 할 일들에 대해서 생각하고 또 생각했다.

3. 종자(從者)

사람을 찾는 가장 기본적인 방법은 수소문이었다.

오가는 행인 하나하나를 잡고 백노의 인상착의를 이야기하면서 혹시 본 적이 있느냐고 물어보는 일이 그 첫 번째이며, 아예 백노의 용모파기를 만들고 현상금까지 걸어서 방(榜)을 붙이는 일이 그 두 번째였다.

사실 일반 백성이 사사로이 방을 붙이는 건 국법에 어긋나는 일이었다.

하지만 그렇다고 일일이 관아를 찾아가 사정을 설명하고 허락을 받고 할 시간은 없었다. 청노와 혈노에게 주어진 시간은 겨우 이틀하고 반나절뿐이었으니까.

그래서 청노는 인근 화상(畫商)을 찾아가 백노의 용모파기를 만들었다. 그리고 그 종이를 두 개의 장대 사이에 현수막처럼 매단 다음, 높이 들고서 거리를 쏘다녔다.

행인들이 절로 그를 돌아보고 또 백노의 용모파기에 흥미를 갖고 쳐다보았다. 청노는 큰소리로 외쳤다.

"사나흘 전 이 노인을 보거나 행적을 아시는 분에게 은자 열 냥을 드리오!"

은자 열 냥의 현상금에 사람들은 더욱 흥미를 느끼고 그 용모파기를 쳐다보았다.

반응은 금세 왔다. 몇몇 이들이 다가와 백노를 본 적이 있다면서 손부터 내밀었다.

어떤 이들은 백노와 잘 아는 사이라고도 했으며 또 어떤 이는 백노가 자신의 할아버지와 친구라고, 지금 함께 술을 마시고 있다면서 손을 내밀기도 했다. 심지어 어떤 이는 백노가 연전에 돌아가신 제 할아버지라면서 엉엉 울기까지 했다.

청노는 현상금을 주는 대신 그들에게 꼬치꼬치 캐물었다. 언제 어디에서 봤는지, 어떤 행색을 하고 있었는지, 어디로 갔는지 세세하게 물었다.

손부터 내민 이들은 애당초 현상금에 눈이 먼 작자들, 당연히 백노는 알지도 본 적도 없는 자들이었다. 청노는 한숨을 쉬면서 그들을 돌려보내려 했다.

하지만 한 번 돈독이 오른 자들은 청노가 누구인지 전혀 알아볼 생각도 하지 않은 채 나이와 체격을 앞세워 그를 골목 안쪽으로 밀어넣었다.

"가진 것 다 내놓지 않으면 그 늙은 몸 성치 못하게 될 줄 알아!"

사내들이 청노를 윽박지르는 소리가 골목 밖에까지 들려왔다. 행인들은 혀를 쯧쯧 차며 골목길로 사라진 청노를 동정했다.

"그러기에 함부로 돈 이야기를 꺼내는 게 아니지. 어라?"

행인들의 눈이 휘둥그레졌다. 대여섯 명의 장한에게 끌려갔던 청노가 아무 탈 없이 골목을 빠져나온 것이다.

청노는 무표정한 얼굴로 걸음을 옮기며 계속해서 백노를 아는 자에게 은자 열 냥을 주겠다고 소리쳤다.

행인들은 고개를 빼꼼 내밀고는 골목 안쪽을 살펴보았다. 골목길에는 대여섯 명의 사내들이 아무렇게나 구겨진 채 한쪽에 쌓여 있었다.

* * *

"죄송합니다."

청노는 허리를 숙였다.

"이틀 동안 성도부 전체를 샅샅이 뒤졌지만, 그 어디에서고 백노의 흔적은 찾아볼 수가 없었습니다."

청노는 자신의 말로 인해 위천옥이 얼마나 화를 낼지 잘 알고 있었다. 팔 하나, 다리 하나 정도 부러지는 건 차라리 다행이다 싶을 정도로 격노할 게 분명했다.

하지만 그렇다고 해서 거짓 보고를 할 수는 없었다. 이틀 내내 장대를 들고 북경부 북쪽 일대를 돌아다녔지만 결국 백노를 본 사람을 찾지 못한 게 사실이었으니까.

청노는 계속해서 말했다.

"천리향의 향이 지워지고 백노의 행적을 찾을 수 없는 걸로 보아 아마도 그 마차를 뒤쫓다가 목숨을 잃고 땅에 묻힌 게 아닐까 추측됩니다."

위천옥은 가늘게 눈을 뜬 채 말했다.

"그럼 시신이라도 찾아왔어야지, 이렇게 맨손으로 와서 죄송하다고 말하면 다야?"

벌컥 화를 내지 않고 차분하게 말하는 게 더 두렵고 무서웠다. 이러다가 한 방에 목숨을 잃을 수도 있었다. 청노는 더욱 조심스럽게 대답했다.

"현재 혈노가 그곳에 남아 수색 중입니다. 시신이라도 찾을 때까지 돌아오지 않겠다고……."

"그건 또 무슨 소리야?"

위천옥이 눈살을 찌푸렸다.

"내가 분명 오늘까지 돌아오라고 했지? 내일 서안으로 출발해야 한다고 말이야."

"소야께서 먼저 가시면 뒤따라오겠다고……."

"아니, 백노의 행적도 찾아내지 못하는 것이 내 뒤를 밟아서 따라오겠다고? 내 행적이 그렇게 쫓기 쉬운가?"

"그게 아니라 속하가 표식을 남기기로 했습니다."
"흥!"
위천옥이 코웃음을 칠 때였다. 허 노야가 손을 모으며 입을 열었다.
"백노는 이 늙은이가 반드시 찾을 터이니 걱정하지 말고 서안으로 가시지요."
"걱정은 누가 한다는 거야? 다들 하나 같이 말을 쳐 듣지 않으니까 화가 나서 그러는 거지!"
위천옥이 짜증을 부렸다.
"마차를 쫓아가서 주인들에 대해 알아보라고 했더니 영 돌아올 생각을 안 해! 그 돌아오지 않는 종자를 찾아오라고 했더니 빈손으로 돌아와! 그리고 무슨 일이 있더라도 오늘까지 돌아오라고 했는데도 내 명령을 무시하고 계속 그곳에 남아서 수색하겠대! 도대체 이런 늙은이들을 데리고 뭘 어떻게 하란 말이야!"
"다른 종자를 알아볼까요?"
"됐어. 바꿔 봤자 다 똑같은 놈들…… 아, 그렇군."
위천옥은 눈빛을 반짝였다.
일순 허 노야는 갑자기 불안해졌다. 괜한 말을 했나 싶은 후회감이 밀려들었다.
아니나 다를까.
"허 영감의 제자들 중에서 그 루호인가 하는 자가 괜찮아 보이더군. 입도 무겁고, 실력도 괜찮고."

'이런…….'

허 노야는 속으로 한숨을 쉬었다.

역시 도저히 부탁을 들어줄 수 없는 이름이 위천옥의 입에서 나왔다.

루호는 그의 심복 중에서도 으뜸가는 심복이었다. 다른 제자들을 이끌고 임무를 완수하는 것은 물론, 유령교의 신도들까지 관리하고 챙기는 등 허 노야에게는 없어서는 안 될 인물이었다.

허 노야는 조심스레 말했다.

"소야의 곁에서 시중을 들기에는 아직 많이 부족한 아이입니다. 게다가 무위도 백노나 혈노에 비해 현저히 떨어져서 호위 역할은 확실히 무리입니다."

"괜찮아. 내가 누구에게 당할 리도 없고."

"아닙니다. 눈앞의 상대야 당연히 소야의 적수가 될 리 없겠습니다만 등 뒤의 적은 다릅니다. 놈들이 언제 독을 풀지도 모르고, 또 어디에 함정을 설치할 줄 모릅니다. 소야의 종자는 그런 등 뒤의 적과 숨은 적을 미리 알아차리고 경계할 줄 알아야 합니다. 강호 경험이 일천한 그 아이에게는 거의 불가능한 일입니다."

위천옥은 허 노야의 말을 들으면서 문득 지난 여정을 떠올렸다.

확실히 백노와 청노는 위천옥보다 먼저 음식을 맛보고 확인했다. 식사할 때마다 늘 그랬기 때문에 위천옥은 크게 신경 쓰지 않았지만, 돌이켜 생각해 보니 확실히 독의 유무를 가리는 행동이었다.

혈노 또한 매번 위천옥보다 앞서 움직였다. 대략 위천옥보다 십 리 앞까지 사라졌다가 돌아오기를 반복했다.

그게 주변에 암기나 함정이 설치되지 않았나 확인하는 움직임이라는 걸, 위천옥은 허 노야의 이야기를 듣고 이제야 알게 되었다.

"흠, 귀찮군그래."

위천옥은 팔짱을 끼며 투덜거렸다.

"새로 종자로 삼아 이것저것 가르치는 것도 확실히 귀찮은 일이기는 하지. 청노도 내 뜻대로 움직이기 시작한 게 얼마 되지 않았으니까."

그는 일부러 크게 입맛을 다시며 말했다.

"뭐 할 수 없지. 마음 같아서는 당장 때려죽이고 싶은데 그나마 이제 두 명밖에 남지 않은 종자들이니 그래도 내가 참아야겠지."

"잘 생각하셨습니다. 그렇게 수하들을 생각하시니 당연히 목숨을 바쳐 보답하려 할 겁니다."

허 노야는 그렇게 말하며 청노에게 눈짓을 했다. 청노가 얼른 입을 열었다.

"불충의 죄를 저질렀음에도 불구하고 관대하게 용서해 주신 이 은혜, 목숨을 바쳐 갚겠습니다. 감사합니다, 소야."

"됐어."

위천옥은 손사래를 치며 말했다.

"가서 혈노나 데리고 와. 내일 아침 먹고 바로 출발하게."

"존명."

청노는 허리를 숙인 채 뒤로 물러나 대청을 빠져나갔다.

물끄러미 그 광경을 지켜보던 위천옥은 한숨을 쉬며 고개를 설레설레 흔들었다. 그리고는 허 노야를 돌아보며 말했다.

"반드시 찾는다고 했다?"

"물론입니다, 소야."

허 노야는 고개를 숙이며 말했다.

"시신이든 뭐든, 반드시 백노를 찾겠습니다."

위천옥은 그를 노려보며 말했다.

"그 말 믿고 떠날 거야."

"그러셔도 됩니다."

허 노야는 씨익 웃으며 말을 덧붙였다.

"어쨌든 성도부는 제 영역이니까 말입니다."

10장.

참 세상일이란 게

"철목가와 무적가는
제각각 내부를 단속하고 병력을 재정비하는 데 시간이 필요해서
최소한 반년 동안은 움직이지 못할 겁니다.
나머지 삼대가문 또한 따로 움직이지 않을 테고요."

참 세상일이란 게

1. 빚과 이자

삼월(三月)이 되면서 날씨는 완연하게 풀렸다. 이제 솜이 들어 있는 베옷을 입고 돌아다니는 사람은 아무도 없었다. 다들 가벼운 옷차림으로 거리를 활보했다.

화재를 진압한 지도 벌써 열흘 가까이 흘렀다. 무너졌던 건물들이 제법 올라가고, 천수호동의 집들도 비록 움막이기는 하지만 대부분 새로 지어졌다.

관아에서 빌린 객잔에 분산되어 있던 이재민들은 하나 둘씩 새로운 보금자리로 돌아갔다. 아무리 조그만 움막이라 하더라도 자신들의 집이 객잔의 별채 마당보다 훨씬 편하고 안심되는 법이었다.

예전과는 달리 이번 관아에서는 적극적으로 이재민들을 도와주었으며 무엇보다 빠르게 일들을 처리하고 있었다. 사람들은 다들 관아를 칭찬했으며 추관 학여춘을 칭송했다.

"그런 거 일일이 보고할 시간이 있으면 가서 무너졌던 객잔이나 상회가 제대로 복구되고 있는지 확인이나 하게."

학여춘은 성도부 사람들의 반응을 가지고 온 포두에게 질책하듯 말했다. 젊은 포두는 머쓱한 표정을 지으며 청사를 빠져나갔다.

"사람들이 나를 칭송한다고 해서 내가 기쁘게 생각할 거라고 여겼다면 아무래도 아직 세상을 잘 모르는 게지."

학여춘은 한숨을 쉬며 고개를 설레설레 흔들었다.

"내가 칭찬받는 건 내게 아무런 도움이 되지 않는다는 걸 저 아이는 모르고 있는 게야. 외려 어쩌면 내 목이 위험해질 수도 있다는 걸 말이지."

학여춘의 시중을 드는 나이어린 포쾌가 궁금하다는 듯이 물었다.

"왜 추관 나리의 목이 위험해지는데요?"

"당연한 일이 아니겠느냐? 아, 차가 떨어졌구나. 가서 차 좀 가져오너라."

"아이쿠, 죄송합니다."

어린 포쾌는 찻주전자를 들고 허둥지둥 밖으로 달려 나갔다. 잠시 후 그는 김이 모락모락 피어오르는 주전자를 가지고 돌아와, 학여춘의 빈 찻잔에 차를 따랐다.

학여춘은 창밖으로 시선을 돌리며 물었다.

"이 성도부 관아의 우두머리가 누구더냐?"

조심스럽게 차를 따르던 포쾌가 움찔 놀라며 엉겁결에 대답했다.

"그야 추관 나리가 아니십니까?"

"아니지. 그렇게 생각하니까 문제라는 게다."

학여춘은 잠시 창밖을 지켜보다가 다시 포쾌를 돌아보며 말을 이었다.

"성도부 관아의 우두머리는 누가 뭐래도 지부대인이시다."

어린 포쾌는 '아, 지부대인이요?' 하고 떨떠름한 표정을 지었다.

지부대인의 정확한 직책은 정사품의 관직인 지부(知府)로, 부(府)의 모든 행사를 책임지고 관리하며 주재하는 인물이었다.

그 밑으로 동지와 동판을 두는데 그들에게 부의 행정 책임을 맡기고, 추관으로 하여금 관아를 운영하도록 권한을 부여했다.

그러니 추관이 관아의 우두머리라고 대답한 포쾌의 말

도 옳았고, 좀 더 시야를 넓게 본 학여춘도 틀리지 않았다.

"물론 내가 지금 관아의 책임자라고는 하지만, 그건 어디까지나 지부대인께서 권한을 양도하셨기 때문에 가능한 일이지. 행여 지부대인께서 마음이 바뀌면 언제든지 내 목이 날아가는 거니까."

학여춘은 호로록 차를 마셨다. 찻물이 제법 뜨거웠는지 그는 인상을 찌푸리며 얼른 찻잔에서 입을 뗐다. 그리고는 포쾌를 돌아보며 물었다.

"자, 아직도 내 뜻을 모르겠느냐?"

"알 것 같습니다."

영민하게 생긴 어린 포쾌는 어깨를 으쓱거리며 대답했다.

"그러니까 칭송을 하려면 지부대인을 칭송해야지, 추관 나리를 칭송하면 안 된다. 행여 그 일로 인해서 지부대인이 삐치거나 토라지기라도 하면 추관 나리의 목이 위험하다, 이런 뜻 아닙니까?"

"허허. 그래. 바로 그런 의미인 게지."

"그건 너무 지부대인을 나쁘게만 보는 게 아닐까요?"

포쾌가 반론을 펼쳤다.

"속하가 생각하기로는 몇 년 전 비명에 죽은 지부대인보다 이번 지부대인이 훨씬 더 현명하신 것 같은데요."

"그야 모르지. 모르니까 조심해야 한다는 게다."

학여춘을 다시 찻잔을 들며 말했다.

"게다가 나는 칭송이니 칭찬이니 하는 걸 그리 좋아하는 편이 아니거든."

그는 문득 미소를 지으며 말을 이었다.

"그런 걸 좋아하는 녀석이 따로 있기는 하지."

* * *

"쳇, 누가 내 이야기를 하는가 보네."

강만리는 귀를 후비며 투덜거렸다. 정유가 웃으며 말을 받았다.

"형님 이야기를 할 사람이야 너무 많아서 문제죠."

"누가 내 이야기를 한다고?"

강만리는 한 차례 정유를 노려본 후 화제를 돌렸다.

"그나저나 허 노야의 초대장이 온 지가 언젠데 왜 아직도 다음 연락이 없는 거야? 여태 날짜를 잡지 못할 리도 없을 텐데."

"수하들 이야기를 들어 보니 위천옥이라는 자, 이미 성도부를 떠난 지 오래라던데요?"

고굉의 말에 강만리가 눈을 휘둥그레 떴다.

"응? 언제? 왜 내게 그 이야기를 하지 않았는데?"

"아, 이야기는 삼사 일 전에 들었는데 확실한 정보가

아니라서 말씀드리지 않았습니다."

"그래도 말은 해 줬어야지."

강만리가 나무랄 때, 장예추가 고개를 갸웃거리며 물었다.

"그렇게 위천옥을 떠나보낼 작정이었다면 왜 허 노야가 그런 초대장을 보냈을까요?"

"그야 나도 모르지. 그 늙은 능구렁이 속셈을 누가 알겠누?"

강만리가 엉덩이를 긁적거리며 말했다.

참 세상일이란 게 공교로운 바가 없지 않았다. 호랑이도 제 말 하면 온다는 속담이 있을 정도였으니까. 지금이 바로 그러한 상황이었다.

강만리와 장예추가 허 노야를 입에 올리며 대화를 나누고 있을 때, 양위가 대청으로 들어와 불청객이 찾아왔다는 소식을 전했다.

"허 노야께서 찾아오셨습니다."

사람들은 서로의 얼굴을 돌아보았다.

정말이지, 세상일이라는 참 묘했다.

"들어오시라고 하게."

강만리가 말했다.

잠시 후, 허 노야는 루호와 취표 등 다섯 명의 제자를 이끌고 대청에 들어섰다.

강만리를 비롯한 대청의 사람들이 일제히 일어나 예를 취했다.

"허허, 다들 앉게."

허 노야는 거들먹거리며 자리에 앉자, 강만리들도 자리에 앉았다.

강만리가 차를 권하며 물었다.

"아니, 연락도 없이 웬일이십니까?"

허 노야는 어깨를 으쓱거리며 말했다.

"우리가 언제부터 연락하고 만나던 사이였나?"

"하하, 그건 그렇죠. 안 그래도 마침 허 노야 이야기를 하던 참이었습니다."

"응? 왜? 아, 왜 초대장을 보내 놓고 다음 연락을 하지 않을까 하고?"

"그렇습니다. 역시 뭐든 다 알고 계시는군요."

강만리가 짐짓 감탄하는 척하자 허 노야는 피식 웃으며 말을 받았다.

"허허. 그럼 뭐든 다 알고 있지. 적어도 성도부 내에서 일어나는 일들은 뭐든 말일세."

강만리는 허 노야의 웃지 않는 눈빛을 보고는 저도 모르게 움찔거렸다. 말 속에 뼈가 있는 느낌이었다.

"가령 말일세."

허 노야는 살짝 앞으로 몸을 내밀며 은밀한 어조로 말

했다.

"조그마한 체구의 늙은이, 늘 백의를 즐겨 입는 늙은이가 어떻게 죽어서 땅속에 묻혀 있는지도 익히 잘 알고 있다네."

'이런!'

강만리는 속으로 큰일이다 싶었다. 하지만 겉으로는 여전히 태연자약하게 앉아서 눈만 멀뚱거렸다.

"무슨 말씀을 하시는지 전혀 모르겠습니다."

"허허. 자네도 정말 뻔뻔해졌구먼. 내게 돈을 빌리러 다닐 때와는 전혀 달라졌어."

"그게 언제 적 이야기입니까?"

"뭐, 그렇기는 하지. 벌써 십 년 정도 된 일이지, 아마?"

허 노야는 지그시 눈을 감으며 옛 추억을 회상하듯 말을 이었다.

"그때도 느물거리고 너구리 같은 데가 있었지. 자네를 볼 때마다 생긴 건 곰이나 멧돼지인데 속은 여우라고, 애늙은이라고 늘 그렇게 생각했거든."

"설마 돌아가실 때가 된 겁니까? 갑자기 옛날이야기는 왜 꺼내십니까?"

"허허. 원래 나이가 들면 짧게 남은 미래보다 훨씬 길게 지내 온 과거를 떠올리는 법일세. 뭐, 그렇다고 해서 과거를 미화하거나 자네와의 인연에 금칠을 덧할 생각은 없지만 말이지. 쿨럭, 쿨럭."

허 노야는 잔기침을 한 뒤 다시 말을 이었다.

"어쨌든 나는 그 노인의 시신을 보고 싶다네. 적어도 내일 새벽, 이 버드나무길 입구 구석진 곳에 아무렇게나 버려져 있는, 죽은 지 제법 된 늙은 시신 한 구를 발견하고 싶다네. 그래야 내 어린 주인에게도 할 말이 생기니까. 또 오래간만에 자네에게 고리대금의 빚을 지게 할 수 있으니까 말일세."

"진짜 무슨 말씀이신지 모르겠습니다."

"뭐 몰라도 되네. 나는 내가 하고픈 이야기만 하고 갈 테니까 말이지."

허 노야는 킬킬 웃으며 말했다.

"어쨌든 이번 빚의 이자는 꽤 비싸네. 내 어린 주인은 생각보다 수하들을 아끼고 종자들을 끔찍하게 생각하거든. 행여 그 백노를 죽인 자가 누구인지 알게 된다면……."

허 노야는 백노라는 단어에 특별히 힘을 주며 말했다.

"아마 그 식솔들까지 모조리 죽여서 복수를 할 게야. 사실 나는 백노를 죽인 자들은 상관하지 않네. 단지 그 식솔들이 죽는 게 안타까워서 이렇게 구질구질하게 이야기하고 있는 것이지."

허 노야는 계속해서 백노라는 말에 힘을 주면서 말을 맺었다. 강만리는 무슨 말을 하는지 전혀 모르겠다는 얼굴로 묵묵히 허 노야를 바라보았다.

허 노야는 미소를 머금은 채 강만리의 시선을 마주하다가 두 손을 옆으로 내밀었다. 기다렸다는 듯이 루호와 취표가 다가와 그를 부축해 일으켜 세웠다.

"그만 가 보겠네."

허 노야가 말했다.

"내일 새벽, 버드나무길 입구네. 그리고 빚은 잊지 말고. 아, 잘 알고 있겠지? 내가 얼마나 빚과 이자를 잘 받아 내는지 말일세."

허 노야는 등을 돌리며 말했다.

"배웅은 나오지 않아도 되네."

2. 횡재수만 남은 거요

허 노야는 바람처럼 왔다가 한바탕 먼지를 일으키고 또 바람처럼 사라졌다. 그가 일으킨 먼지가 가라앉을 동안 대청에 모인 사람들은 단 한 마디도 하지 않았다.

얼마나 시간이 흘렀을까.

화군악이 고개를 갸웃거리며 중얼거렸다.

"어떻게 알았을까, 저 늙은 능구렁이가?"
장예추가 말을 받았다.
"늙은 능구렁이니까 알았겠지."
화군악이 장예추를 노려보다가 다시 고개를 갸웃거리며 입을 열었다.
"그런데 왜 위천옥에게 그 사실을 숨겼을까?"
이번에도 장예추가 말을 받았다.
"늙은 능구렁이 속을 누가 알겠어?"
화군악이 재차 장예추를 노려보았다. 장예추는 그의 시선을 외면하고는 강만리를 바라보며 말을 이었다.
"그가 어떻게 알았는지, 왜 위천옥에게 발설하지 않았는지는 지금 상황에서 그리 중요하지 않습니다. 나중에 천천히 생각해도 상관없는 일들이니까요. 문제는 그의 제안을 들어줘야 하는지, 그리고 만약 들어준다면 그 빚과 이자는 어떻게 갚아야 하는지가 아닐까 싶습니다."
"안 그래도 고민 중이다."
강만리는 인상을 찡그리다가 담우천을 향해 물었다.
"형님 생각은 어떠신지요?"
담우천은 생각할 것 없다는 듯이 빠르게 대답했다.
"죽여 달라면 언제든지 죽여 주마."
"아니, 또 뭘 죽여요?"
강만리는 당황해하며 말했다.

"그래도 어쨌든 아직까지는 우리 편입니다. 설령 죽인다고 하더라도 지금은 죽일 때가 아니거든요. 그저 어떻게 처리하는 게 좋겠냐는 거죠."

"그럼 허 노야 말대로 해도 되지 않을까 싶은데."

담우천은 무덤덤하게 말했다.

"그가 시신을 원한다면 꺼내서 가져다 놓지. 빚과 이자를 원한다면 그렇게 해 주고. 단지 그 빚과 이자라는 게 우리가 감당할 수 없는 수준의 것이라면 그때 죽여도 되고."

"흠."

강만리는 담우천의 시원시원한 대답에 문득 머릿속이 개운해지는 걸 느꼈다.

확실히 담우천의 답은 단순무식하면서도 직관적이었다.

우리에게 도움이 되는 일이라면 그렇게 하면 된다. 우리에게 불리할 것 같으면 죽인다. 이 얼마나 단순명쾌한 해답이란 말인가.

강만리는 감탄하며 말했다.

"그 늙은 능구렁이의 말재간으로 인해 머릿속이 온통 안개가 낀 것 같았는데 형님의 쾌도난마(快刀亂麻)의 말씀으로 안계가 활짝 열렸습니다."

담우천은 여전히 무심한 어조로 대꾸했다.

"한 가지만 알아 두게. 이번 정극신을 죽이면서 아직 부족하다고 느끼기는 했지만, 그래도 우리는 생각보다 훨씬 강하네. 오대가문을 제외하면 우리가 벌벌 떨어야 하는 상대는 아무도 없네."

그때 화군악이 나지막한 목소리로 중얼거렸다.

"위천옥도 빼고요."

담우천의 눈썹이 꿈틀거렸다. 하지만 그는 화군악을 노려보지 않았다.

"좋아. 그럼 파묻었던 백노의 시신을 꺼내서 내일 새벽 버드나무길 입구에 놔두기로 합시다."

그것으로 허 노야에 대한 이야기는 끝났다. 이후 그들은 북해빙궁으로의 이주 건에 대해서 숙의(熟議)했다.

설벽린의 계획을 토대로 하여 계속 수정하고 보완하고 있었지만 아직도 생각보다 훨씬 많은 문제가 남아 있었다.

"다들 너무 초조하게 생각하지들 맙시다. 아직 시간은 많으니까."

강만리가 말했다.

"일전에 말했다시피 철목가와 무적가는 제각각 내부를 단속하고 병력을 재정비하는 데 시간이 필요해서 최소한 반년 동안은 움직이지 못할 겁니다. 나머지 삼대가문 또한 따로 움직이지 않을 테고요. 그러니 우리도 두 달에서

석 달 정도 여유를 잡고 움직이는 걸로 합시다."

설벽린이 동의했다.

"각 지역의 와주와 소장인들을 만나 보물들을 팔려면 확실히 그 정도 시간이 필요합니다."

장예추가 물었다.

"형님 혼자 다 돌아다닐 수는 없잖아요?"

"그래. 그래서 자네와 화 아우가 한쪽을 맡아 줬으면 해. 담 형님도 혹시 아는 자들이 있으면 부탁드리고요."

담우천은 고개를 끄덕였다.

"사선행자 시절 몇몇 인연이 닿은 자들이 있기는 하네. 아직 그들이 은퇴하지 않았다면 한 번쯤 만나도 괜찮을 게야."

"부탁드립니다. 그럼 제가 서안 일대의 장물아비들을 만나기로 하고, 장 아우와 화 아우는 호광 지역을 둘러 봐. 담 형님은 그 인연이 닿는 분들에게 연락해 주시고요."

보물을 처리하는 문제는 그렇게 결론이 났다.

가만히 듣고 있던 고굉은 다급한 눈빛으로 아란을 돌아보았다. 아란이 고개를 끄덕였다.

자칫 망설이다가는 모든 보물이 장물아비들에게 팔려 나갈 지경에 이르렀다.

그래도 다행인지, 때마침 오늘이 내당과 외당의 경비

무사들이 서로 자리를 바꿔 경계를 서는 날이었다.

참, 세상일이라는 건 공교로운 법이었다.

* * *

자시를 알리는 딱딱이 소리가 담장 밖 멀리에서 희미하게 들려왔다. 그 소리를 들으며 고굉은 내당으로 향하는 월동문 입구에서 초조하게 기다리고 있었다.

시간은 여삼추(如三秋)처럼 느리게 흘러갔다.

고굉은 발을 동동 구르며 연신 주위를 두리번거렸다. 한순간 그의 얼굴이 환해졌다. 아란이 발꿈치를 들고 살금살금 걸어오는 모습을 발견했던 것이다.

"왜 이리 늦었소?"

고굉이 소리 죽여 타박했다. 아란이 한숨을 쉬며 소곤거렸다.

"설 오라버니가 늦게 잠들었어요. 계속 대청에 나와 있어서 눈치가 보여 빠져나오지 못했다고요."

"정말 열심이라니까."

고굉이 비아냥거렸다.

"세상 모든 일들이 그렇게 계획대로, 뜻대로 되면 얼마나 좋을꼬? 하지만 등잔 밑이 어둡다고, 만약 내가 그 계획을 십삼매나 허 노야에게 일러바치면…… 흐흐, 그때는 무슨 얼굴들을 할까?"

"왜요? 일러바칠 거예요?"

"마지막 패로 남겨 둬도 괜찮지 않겠소?"

"으음, 낮에 담 오라버니가 했던 말씀 못 들으셨어요? 그러다가 눈 밖에 나면 죽을 수도 있어요."

"흐흐. 허 노야나 십삼매 뒤에 숨으면 되오. 천하의 그들을 상대하는 건 담 장주의 말처럼 쉬운 게 아니라오."

그렇게 말한 고굉은 문득 고개를 갸웃거리며 물었다.

"그런데 며칠 전까지만 하더라도 담 장주, 설 장주, 이렇게 부르지 않았소?"

아란은 움찔하다가 이내 아무것도 아니라는 투로 말했다.

"호칭이야 내 기분에 따라 언제든지 바뀌거든요. 지금 그게 중요한 게 아니잖아요? 경비 무사들이 교체되기는 한 건가요?"

고굉은 어깨를 으쓱이며 말했다.

"자시가 되기 전에 교체하는 걸 이 두 눈으로 똑똑히 지켜보았소. 그러니 이제 내당 화평각으로 가서 창고 문만 열면 되오. 자, 갑시다."

고굉은 앞장서서 월동문 안으로 들어섰다. 아란이 그 뒤를 따라 조심스레 발길을 옮겼다.

내당의 정원 곳곳에도 치명적인 함정과 암기가 설치되

어 있었다. 그 위치를 모르는 자가 자칫 잘못 발을 디디는 순간, 고슴도치가 되거나 아니면 독침에 찔려 저도 모르게 목숨을 잃게 된다.

또한 함정과 암기가 발동되는 동시에 경비를 서던 무사들이 사방에서 튀어나와 그 주위를 에워싸게 훈련이 되어 있었다.

고굉과 아란은 조심스레 발길을 움직여 몇 개의 구역을 지나서 화평각에 이르렀다. 화평각의 입구에서 경계를 서고 있는 무사들은 확실히 고굉의 수하들이었다.

고굉이 입구에 다가서자 과거 흑룡방도들은 황급히 고개를 숙이며 인사했다.

"고생한다. 화평각 식구들은 다들 자느냐?"

경비 무사들은 떨리는 목소리로 말했다.

"불이 꺼진 지 반 시진가량 지났습니다. 지금쯤이면 다들 깊은 잠에 들었을 겁니다."

"알았다. 나중에 내가 한턱 단단히 내마."

고굉은 미리 이야기를 나눈 것처럼 그들의 어깨를 툭툭 치고는 화평각으로 들어섰다. 아란도 그 뒤를 따라 화평각 내부로 향했다.

무사들은 말릴 생각도 하지 못한 채 입술만 깨물며 그 광경을 지켜보았다.

"며칠 전 강 장주에게 은근하게 물어봤소. 창고 관리를 좀 더 강화해야 하지 않겠느냐고."

고굉은 대청을 지나 구석진 복도로 걸음을 옮기며 소곤거렸다. 뒤따르는 아란의 이마에 식은땀이 맺혔다.

"그랬더니 외당과 내당의 경비를 뚫고, 그 함정들과 암기들을 피해서 예까지 잠입할 정도의 실력을 지닌 도둑이라면 창고의 강화 따위 아무 소용이 없을 거라고 하더이다."

고굉은 강만리를 비웃듯 웃으며 말을 이었다.

"그래서 그 흔한 자물쇠 하나 없다고 말하면서 웃지 않겠소? 그때 확신했소. 우리의 이 계획은 반드시 성공할 거라고 말이오."

창고는 복도 구석진 곳에 있었다.

그리고 강만리가 했던 말 그대로 창고의 문에는 자물쇠가 걸려 있지 않았다. 창고 앞에 다다른 고굉은 손을 비비며 침을 꿀꺽 삼켰다.

"이제 횡재수만 남은 거요."

고굉은 천천히, 소리 나지 않게 창고의 문을 열었다.

그리고 다음 순간.

"으악!"

그는 깜짝 놀라 소리쳤다.

3. 보물 정리

창고 안에는 이미 잠든 지 알았던 강만리가 팔짱을 낀 채 우두커니 서서 고굉을 노려보고 있었다. 고굉은 귀신이라도 본 듯 기겁하며 뒤로 물러났다.

강만리가 창고 밖으로 천천히 걸어 나왔다. 그의 얼굴은 딱딱하게 굳어 있었으며 눈동자에서는 사람을 잡아먹을 듯한 눈빛이 흘러나왔다.

"어, 어, 그러니까……."

고굉은 어찌할 바를 모르고 말을 더듬었다.

강만리는 그를 노려보다가 문득 한숨을 쉬며 고개를 설레설레 흔들었다.

"아, 고굉아. 고굉아. 내가 널 어찌해야 하느냐?"

그의 탄식에는 아쉬움과 슬픔, 분노와 경멸 등 온갖 감정이 다 담겨 있었다.

"아니, 형님. 생각하는 것과 다릅니다, 이건."

고굉은 새빨갛게 얼굴을 물들인 채 황급히 변명했다.

"그러니까 일전에 제가 말씀드리지 않았습니까? 창고 경계를 더 강화해야 한다고요. 그렇지 않으면 어떤 일이 벌어지게 될지, 이 아우가 직접 나서서 시범을 보여 드리려고 했던 겁니다. 형님이 생각하는 것처럼 창고의 보물을 훔치려고 한 건 절대 아닙니다."

고광은 언제 말을 더듬었느냐는 듯이 한꺼번에 홍수처럼 말을 쏟아 냈다.

"그러니까 이 모든 게 다 형님과 우리 화평장을 위해서 한 일입니다. 저를 혼낼 게 아니라 외려 칭찬해 주셔야 할 일입니다."

강만리는 아무 말 없이 물끄러미 고광을 바라보았다. 고광은 숨도 쉬지 않고 계속해서 변명하고 또 변명했다.

그러나 강만리는 여전히 말을 하지 않았다. 결국 변명하다가 지친 고광이 고개를 숙이며 말했다.

"뭔가 말 좀 해 주십시오, 제발. 가타부타 말씀이 있어야 제가 또 변명이든 뭐든 하지 않겠습니까?"

강만리는 침묵했다.

고광은 그 침묵을 견디기 어려웠다. 차라리 한 대 맞거나 욕설을 듣는 게 낫지, 가슴 옥죄고 머리를 빠갤 것 같은 이 침묵은 참을 수가 없었다.

"제발, 제발 한 마디만 해 주십시오."

그는 고개를 푹 숙인 채 말했다. 하지만 강만리는 끝까지 침묵을 지켰다.

그런 고문과도 같은 시간이 얼마나 흘렀을까. 고광은 결국 모든 걸 포기했다.

"그래요, 그렇습니다!"

그는 항변하듯 소리쳤다.

"보물 좀 훔칠 작정이었습니다. 양손 가득, 그리고 소매 가득 훔쳐서 제 이의 흑룡방을 재건하는 자금으로 사용하려 했습니다! 그게 뭐 잘못되었습니까? 내 흑룡방이 괴멸당한 건 따지고 보면 형님 때문이 아닙니까? 그 무적가 개자식들이 형님을 찾는답시고 성도부 전역을 쑤시고 돌아다니는 바람에 애꿎은 내 흑룡방까지 괴멸당한 게 아닙니까?"

고굉은 눈물까지 흘리며 쉬지 않고 악을 썼다.

"형님 밑에 들어와 쉬지 않고 일했습니다! 내 수하들도 데리고 들어와서 모진 일들을 시켰습니다! 성도부의 온갖 소문과 정보들을 물어 왔죠. 이 주변의 장원들을 모두 사기 위해서 온갖 협박과 행패를 부렸죠. 그게 다 형님을 위해서 한 일들이 아닙니까? 그런데 형님은 제게 뭘 주셨습니까, 예?"

고굉은 아예 발악을 하고 있었다.

"어디 따스한 칭찬 한마디 해 주신 적이 있으셨습니까? 매번 모자란 놈, 부족한 놈 다루듯 하지 않으셨습니까? 아, 며칠 전 형수님의 권유로 딱 한 번 칭찬해 주신 적이 있었죠. 네! 형수님 때문에 말입니다! 진짜 제가 형님의 아우인 게 맞습니까? 저기 벽린이나 군악이나 예추처럼 형님 동생이 맞긴 한 겁니까!"

다 큰 어른이, 그것도 중년의 사내가 우는 건 꼴불견이었다. 악에 받쳐 마구 소리치고 발악하는 것도 볼썽사나운 일이었다.

강만리는 고굉이 떠들다가 제풀에 지칠 때까지 묵묵히 지켜만 보고 있었다.

오랜 시간을 쉬지 않고 계속해서 소리치던 고굉은 이윽고 기력이 다한 듯 어깨를 축 늘어뜨리며 말했다. 벌써 목이 쉰 듯 그의 입에서는 쇳소리가 흘러나왔다.

"뭐, 그렇다는 겁니다. 하기야 일개 뒷골목 불량배 따위가 감히 무림오적과 의형제를 맺는 건 확실히 언어도단인 거죠. 네, 네. 저도 제 처지를 잘 압니다. 그래서 어떻게든 쫓겨나지 않으려고 무진장 노력했습니다. 하지만 그것도 끝났네요, 이제. 죽이든 살리든 형님 마음대로 하십쇼. 다 포기했으니 말입니다."

그제야 강만리가 입을 열었다.

"사과부터 해라."

고굉이 눈을 부릅뜨며 강만리를 노려보았다.

"사과는 무슨 얼어 죽을 놈의 사과! 그깟 보물 몇 개 훔치려고 했다고 내가 사과까지 해야 해?"

"그 사과가 아니다."

강만리는 나지막하게 말했다.

"너를 믿고 있던 내 신뢰를 배신한 것에 대한 사과를 하라는 거다."

"흥! 날 믿고 있었다고요? 진짜로 날 믿고 있었다고요?"

"물론이다. 널 믿지 않았더라면 지금까지 함께 있지 않았을 것이다. 또 이곳에 남아서 십삼매와 허 노야를 속이는 중책을 맡기지도 않았을 것이다. 널 신뢰하고 있었기 때문에 그 힘든 일을 맡긴 것이다."

고굉은 강만리의 말을 멀뚱멀뚱 듣다가 "쳇!" 하면서 투덜거렸다.

"그게 신뢰인지, 아니면 귀찮아서인지 어찌 압니까, 내가."

"그렇게도 날 모르느냐?"

강만리가 물었다.

"포두 시절부터 지금까지 내가 언제 네게 거짓말을 한 적이 있더냐?"

고굉은 입을 다물었다.

그랬다. 확실히 강만리는 고굉에게 거짓말을 한 적이 없었다. 포두 시절 고굉을 몇 번이나 감옥에 처박을 때도 거짓말은 하지 않았다.

그리고 무림포두가 된 이후로도 말을 하지 않으면 않았지, 거짓말은 하지 않았다.

고굉은 가볍게 눈살을 찌푸렸다. 그리고는 모기 소리만 한 목소리로 중얼거렸다.

"죄송합니다. 사과하죠, 제가."

강만리는 한숨을 쉬었다.

"그럼 됐다. 오늘 일은 없던 걸로 할 테니 그만 물러가도록 해라."

"네?"

고굉이 깜짝 놀라 고개를 들었다. 강만리는 그를 바라보며 계속해서 말을 이어 나갔다.

"하지만 내 신뢰를 배신한 죄는 물을 것이다. 우선 네가 이곳에 남아 일들을 처리하겠다는 계획은 전면 취소다. 너는 나를 따라서 북해빙궁으로 간다."

"네?"

"그리고 북해빙궁에 가기 전까지 아호에게 무공을 배우도록 해라."

"네? 아호라면 담 형님의 큰아들 말씀이십니까?"

"그래. 그 옆에서 그가 수련하는 과정을 모두 따라 해라. 그게 네게 내리는 벌이다."

"아니, 형님."

고굉은 울상이 되었다.

"차라리 몇 대 맞고 말겠습니다. 이 나이에 체면이 있지, 어떻게 아호에게 무공을 배우겠습니까?"

하지만 강만리는 더 이상 고굉에게 시선을 주지 않았다. 강만리는 그들과 조금 거리를 두고 서 있던 아란을 돌아보며 말했다.

"너 역시 마찬가지야. 우리와 함께 북해빙궁으로 간다."

아란은 고개를 숙이며 대답했다.

"네, 오라버니."

고굉의 눈이 동그랗게 변했다.

"에? 아란 소저는 그게 전부입니까?"

그는 억울하다는 표정을 지으며 하소연했다.

"이거 불공평합니다. 아란 소저에게도 저와 같은 벌을 주시든가, 아니면 제 벌을 취소해 주십쇼."

"됐다. 한마디만 더 하면 진짜로 이 주먹맛을 보게 될 게다."

강만리가 솥뚜껑만 한 손을 불끈 쥐며 말하자, 고굉은 움찔거렸다. 저 주먹으로 맞으면 뼈도 못 추리겠다는 생각이 그의 뇌리를 스치고 지나갔다.

고굉은 고개를 푹 숙였다.

강만리는 그를 내려다보며 다시 말했다.

"그래도 몇몇이 장원에 남아야 한다는 네 계획은 그대로 진행할 것이야. 계획만큼은 나무랄 데가 없었으니까. 뭐, 그때 가 봐서 나나 다른 형제들이 남으면 될 테고. 너는 그저 아무 걱정 없이 이주하기 전까지 무공 수련에 전념하면 돼. 알겠지?"

"네."

고굉은 풀죽은 소리로 대답했다.

"그럼 나가 봐."

강만리의 축객령을 받은 고굉은 터벅터벅 걸어서 화평각을 빠져나갔다. 그 뒷모습을 지켜보던 강만리는 문득 아란을 돌아보며 입을 뻐끔거렸다.

'고맙다.'

아란도 입을 뻐끔거렸다.

'뭘요.'

아란은 고개를 숙인 후 빠르게 걸음을 옮겨 고굉을 따라잡았다.

화평각 밖으로 나온 고굉은 어깨를 축 늘어뜨린 채 한숨을 쉬다가 문득 의아하다는 표정을 지으며 아란을 돌아보았다.

"그런데 강 형님이 왜 창고에 있었을까?"

"글쎄요."

아란은 태연하게 대꾸했다.

"보물 정리라도 하고 있었나 보죠."

(무림오적 32권에서 계속)